科《か》学《がく》探《たん》偵《てい》　謎《なぞ》野《の》真《しん》実《じつ》シリーズ

科学探偵 VS.

ミステリートレイン
BIG
EXPRESS
DIPPER

もくじ

この本《ほん》の楽《たの》しみ方《かた》

この本《ほん》のお話《はなし》は、事件《じけん》編《へん》と解決編《かいけつへん》に分《わ》かれています。登場人物《とうじょうじんぶつ》と一緒《いっしょ》にナゾ解《と》きをして、事件《じけん》の真相《しんそう》を見《み》つけてください。ヒントはすべて、文章《ぶんしょう》と絵《え》の中《なか》にあります。

登《とう》場《じょう》人《じん》物《ぶつ》

謎《なぞ》野《の》真《しん》実《じつ》

エリート探偵育成学校《たんていいくせいがっこう》・
ホームズ学園出身《がくえんしゅっしん》で、
天才的《てんさいてき》な頭脳《ずのう》と
幅広《はばひろ》い科学知識《かがくちしき》を持《も》つ。
「科学《かがく》で解《と》けないナゾはない」が信条《しんじょう》。
クラスは、6年《ねん》2組《くみ》。

宮《みや》下《した》健《けん》太《た》

成績《せいせき》もスポーツも中《ちゅう》ぐらいの
〝ミスター平均点《へいきんてん》〟。
超《ちょう》ビビりなくせに、
不思議《ふしぎ》なことが大好《だいす》き。
クラスは、6年《ねん》2組《くみ》。

青《あお》井《い》美《み》希《き》

新聞部部長《しんぶんぶぶちょう》で、
ジャーナリスト志望《しぼう》。
健太《けんた》とは幼《おさな》なじみ。
クラスは6年《ねん》1組《くみ》。

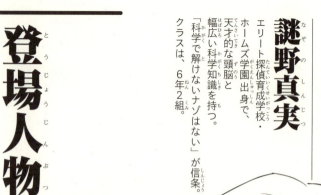

日陰《ひかげ》 保《たもつ》
恐井《こわい》のマンガを出版《しゅっぱん》する
出版社《しゅっぱんしゃ》の社長《しゃちょう》。
浜田先生《はまだせんせい》
6年生《ねんせい》の学年主任《がくねんしゅにん》。
あだ名《な》は
「ハマセン」。
恐井恐子《こわいきょうこ》
妖怪《ようかい》マンガ家《か》。
ハマセンと
知《し》り合《あ》いに。
ミステリー男爵《だんしゃく》
ミステリートレイン
ツアーの主催者《しゅさいしゃ》。
完全寺満夫《かんぜんじみつお》
自称《じしょう》・霊能者《れいのうしゃ》。
神宮寺《じんぐうじ》キリコ
ホームズ学園《がくえん》四天王《してんのう》の1人《ひとり》、
「炎《ほのお》の呪術師《じゅじゅつし》」。
飯島《いいじま》 凛《りん》
ホームズ学園長《がくえんちょう》の息子《むすこ》。
かつて真実《しんじつ》と
対決《たいけつ》し敗《やぶ》れる。
アレクサンドル大瀧《おおたき》
ホームズ学園《がくえん》四天王《してんのう》の1人《ひとり》、
「水《みず》の闘神《とうしん》」。
朝風一家《あさかぜいっか》
右《みぎ》から
兄《あに》の暁《あかつき》、
父《ちち》の銀河《ぎんが》、
弟《おとうと》の隼《はやぶさ》。
隼《はやぶさ》は大《だい》の鉄道好《てつどうず》き。

「さあ、みなさん。今《いま》まで誰《だれ》も経験《けいけん》したことのない、素敵《すてき》な謎《なぞ》の旅《たび》に出発《しゅっぱつ》しましょう」

パソコンの画面《がめん》から、機械的《きかいてき》な声《こえ》が響《ひび》いた。

光《ひか》り輝《かがや》くＣＧ《シージー》の列車《れっしゃ》の映像《えいぞう》が映《うつ》る。

「旅《たび》の中《なか》で数々《かずかず》の謎《なぞ》を解《と》き明《あ》かし、みごと勝《か》ち残《のこ》った方《かた》には、すばらしい物《もの》をご用意《ようい》しているのであります」

次《つぎ》の瞬間《しゅんかん》、画面《がめん》が光《ひかり》に包《つつ》まれ、大《おお》きな文字《もじ》が表示《ひょうじ》された。

優勝賞金《ゆうしょうしょうきん》　１億円《おくえん》

素敵な謎の旅に出発しましょう
優勝賞金
1億円

「わたしの名《な》は、ミステリー男爵《だんしゃく》。『ミステリートレインツアー』の主催者《しゅさいしゃ》であり、案内役《あんないやく》であります。みなさんと会《あ》えることを楽《たの》しみにしていますよ」

笑《わら》い声《ごえ》が響《ひび》き、やがて映像《えいぞう》が終《お》わった。

「ねえねえ、ミステリートレインツアーの広告見《こうこくみ》た？」

ある朝《あさ》の登校中《とうこうちゅう》。青井美希《あおいみき》はうしろを歩《ある》く謎野真実《なぞのしんじつ》にそう言《い》った。

最近《さいきん》、ミステリー男爵《だんしゃく》なる人物《じんぶつ》による「ミステリートレインツアー」の広告《こうこく》が、大《おお》きな話《わ》題《だい》となっていた。

広告《こうこく》はネットだけでなく、テレビやラジオでも毎日《まいにち》のように流《なが》れている。

「ああ。ぼくの読《よ》んでいるサイエンス雑誌《ざっし》にも広告《こうこく》が載《の》っていたよ」

「サイエンス雑誌《ざっし》って、科学《かがく》の雑誌《ざっし》ってことよね。そんな雑誌《ざっし》にも載《の》ってたんだ。それにしても賞金《しょうきん》1億円《おくえん》ってすごいわよねえ」

「ここまで大《おお》じかけの宣伝《せんでん》をしているミステリー男爵《だんしゃく》には、少《すこ》しは興味《きょうみ》を抱《いだ》くね」

真実《しんじつ》の言葉《ことば》に、新聞部《しんぶんぶ》の部長《ぶちょう》をしている美希《みき》は言《い》った。

「たしかに。いったい何者《なにもの》なのか気《き》になる！　わたし、取材《しゅざい》してみたい」

「あのツアーって、いつどこで行《おこな》われて、どうすれば参加《さんか》できるのか、まったくわからないのよね。参加者《さんかしゃ》にはミステリー男爵《だんしゃく》から直接招待状《ちょくせつしょうたいじょう》が届《とど》くらしいんだけど、ネットをいくら調《しら》べても、当《あ》たったという人《ひと》の情報《じょうほう》はまったくなかったの」

「それは不思議《ふしぎ》だね」

「ねえ、どうすれば取材《しゅざい》できると思《おも》う？」

「さあ、招待状《しょうたいじょう》が届《とど》く以外《いがい》に方法《ほうほう》はないんじゃないかな」

「やっぱりそうよね。う～、わたしも参加《さんか》したい！」

美希《みき》は、横断歩道《おうだんほどう》の前《まえ》で地団駄《じだんだ》を踏《ふ》んだ。

「**真実《しんじつ》くーん！　美希《みき》ちゃーん！**」

そんな2人《ふたり》のもとへ、宮下健太《みやしたけんた》が走《はし》ってきた。

「どうしたの？　走《はし》らなくてもまだ遅刻《ちこく》するような時間《じかん》じゃないよ」

「わかってるよ、美希《みき》ちゃん。すごいことが起《お》きちゃったんだ」

健太《けんた》は真実《しんじつ》と美希《みき》に、1通《つう》の黒《くろ》い封筒《ふうとう》を見《み》せた。

表《おもて》には、金色《きんいろ》の列車《れっしゃ》のイラストが描《えが》かれている。

「これって……、たしかミステリー男爵《だんしゃく》の広告《こうこく》に出《で》てくる列車《れっしゃ》よね？」

「そうなんだよ。中《なか》を見《み》て！」

健太《けんた》は封筒《ふうとう》の中《なか》から手紙《てがみ》を取《と》り出《だ》すと、それを2人《ふたり》に見《み》せた。

「あああ！」

中身《なかみ》を見《み》て、美希《みき》が目《め》を大《おお》きく見開《みひら》く。

「ミステリートレインツアー　招待状《しょうたいじょう》」

手紙《てがみ》には、金色《きんいろ》の文字《もじ》でそう書《か》かれていたのだ。

「どうしよう。ぼく、招待《しょうたい》されちゃった」

「健太《けんた》くん、すごいじゃない！　さっそく新聞記事《しんぶんきじ》にしなくちゃ！」

美希《みき》は興奮《こうふん》するが、それを聞《き》いた健太《けんた》は首《くび》を大《おお》きく横《よこ》に振《ふ》った。

「それはダメだよ。手紙《てがみ》の内容《ないよう》をちゃんと読《よ》んで」

「内容《ないよう》……？」

美希《みき》は、手紙《てがみ》を改《あらた》めて見《み》た。

「ええっと、《**招待状《しょうたいじょう》が届《とど》いたことをネットなどに書《か》き込《こ》むことは禁止《きんし》です**》って書《か》いてあるね」

「うん。《**違反**《いはん》**した人**《ひと》**はツアーに参加**《さんか》**できなくなります**》とも書《か》いてあるでしょ？」

「なるほど。だからネットでもまったく情報《じょうほう》がなかったんだね」

真実《しんじつ》の言葉《ことば》に、美希《みき》は「そっか」とうなずいた。

「だけど、なぜ健太《けんた》くんのところに招待状《しょうたいじょう》が届《とど》いたんだい？」

「そうよね。どうやって応募《おうぼ》したの？」

「応募《おうぼ》なんかしてないよ。きっとぼくが興味《きょうみ》を持《も》っていることを知《し》って、特別《とくべつ》に招待《しょうたい》してくれたんだと思《おも》う」

「特別《とくべつ》か……」

真実《しんじつ》は喜《よろこ》ぶ健太《けんた》をじっと見《み》つめる。

その横《よこ》で、美希《みき》が溜《た》め息《いき》をついた。

「いいなあ。健太《けんた》くんだけツアーに参加《さんか》できて」

「ううん。参加《さんか》するのは、ぼくだけじゃないよ。美希《みき》ちゃんも一緒《いっしょ》に行《い》こうよ」

「えっ、どういうこと？」

「ほら、招待状《しょうたいじょう》の続《つづ》きに書《か》いてあるでしょ。

《必《かなら》ず3人1組《にんひとくみ》、親友《しんゆう》もしくは家族《かぞく》でご参加《さんか》のこと》って」

「ホントだ〜。健太《けんた》くん、わたしたち親友《しんゆう》、ううん、大親友《だいしんゆう》よね！」

「う……うん。だから一緒《いっしょ》に行《い》こうって言《い》ったんだよ」

「やった〜！」

大喜《おおよろこ》びする美希《みき》をよそに、健太《けんた》は真実《しんじつ》のほうを見《み》た。

「それで、あと1人《ひとり》は、真実《しんじつ》くんにお願《ねが》いしたいんだ」

「ぼく？」

「うん。招待状《しょうたいじょう》を読《よ》むと、ツアーには難問《なんもん》がいくつも用意《ようい》されてるって書《か》いてあって。真実《しんじつ》くんの知識《ちしき》と推理力《すいりりょく》が絶対必要《ぜったいひつよう》だと思《おも》うんだよ」

「なるほど、そういうことか」

「だけどそれだけじゃないよ。ぼく、真実《しんじつ》くんと一緒《いっしょ》にミステリートレインツアーに参加《さんか》したら楽《たの》しいだろうなって思《おも》ったんだ」

「健太《けんた》くん……」

真実《しんじつ》は健太《けんた》の言葉《ことば》に少《すこ》し笑《え》みを浮《う》かべながら、ふと、招待状《しょうたいじょう》のほうに視線《しせん》を移《うつ》した。

そこには、こんな文章《ぶんしょう》が書《か》かれていた。

《誰《だれ》にも絶対《ぜったい》に解《と》くことができない謎《なぞ》が待《ま》っています！》

「絶対《ぜったい》に解《と》くことができない謎《なぞ》か……。おもしろそうだね」

「一緒《いっしょ》に行《い》ってくれる？」

「ああ、もちろん。参加《さんか》させてもらうよ」

消《き》えた乗《じょう》客《きゃく》

ミステリートレイン1

「えっ、集合場所《しゅうごうばしょ》って、ここでホントに合《あ》ってるの？」

ツアー当日《とうじつ》、真実《しんじつ》や健太《けんた》とともに集合場所《しゅうごうばしょ》にやってきた美希《みき》は、驚《おどろ》きの表情《ひょうじょう》であたりを見回《みまわ》す。そこは、列車《れっしゃ》がひんぱんに行《い》き交《か》う本線《ほんせん》から離《はな》れたところにある、何年《なんねん》も使《つか》われていない感《かん》じのボロボロのホームだったのだ。

「このミステリートレインツアーは、自然災害《しぜんさいがい》により長《なが》い間運転《あいだうんてん》が休止《きゅうし》されているローカル線《せん》――四陵（しりょう）線《せん》の、使《つか》われなくなったレールを整備《せいび》し直《なお》して行《おこな》われるようだからね。集合場所《しゅうごうばしょ》は、ここで間違《まちが》いないと思《おも》うよ」

真実《しんじつ》が答《こた》える。集合場所《しゅうごうばしょ》を聞《き》いてから、下調《したしら》べをし

てきたらしい。

「よーし！　クイズに優勝《ゆうしょう》して、絶対《ぜったい》に1億円《おくえん》を手《て》に入《い》れてやるぞ〜〜！」

威勢《いせい》よく言《い》う健太《けんた》を、真実《しんじつ》は不思議《ふしぎ》そうに見《み》てたずねる。

「1億円《おくえん》って、健太《けんた》くん、そんな大金《たいきん》、何《なに》に使《つか》うつもりなんだい？」

「山《やま》を買《か》う！　それで、昆虫《こんちゅう》の楽園《らくえん》をつくるんだ！」

健太《けんた》の背負《せお》ったリュックには、お気《き》に入《い》りのクワガタのキーホルダーが揺《ゆ》れていた。

ホームには、すでに何組《なんくみ》かの参加者《さんかしゃ》たちが集《あつ》まっていた。

「あれ!?　あそこにいるの、ハマセンじゃない!?」

参加者《さんかしゃ》たちの中《なか》に花森小学校《はなもりしょうがっこう》6年生《ねんせい》の学年主任《がくねんしゅにん》、ハマセンこと浜田典夫《はまだのりお》の姿《すがた》があることに気《き》づき、健太《けんた》は驚《おどろ》く。

ハマセンとチームを組《く》んでいるのは、マンガ家《か》の恐井《こわい》恐《きょう》子《こ》、そして、恐井《こわい》がマンガを描《か》いている出版社《しゅっぱんしゃ》の社長《しゃちょう》、日陰《ひかげ》保《たもつ》だった。ハマセンは、恐井《こわい》からプレゼントされたという、おそろいのツノつきベレー帽《ぼう》をかぶっている。

「まさかの熱愛発覚《ねつあいはっかく》ですか!?」

意外《いがい》な組《く》み合《あ》わせのカップルに記者心《きしゃごころ》をそそられた美希《みき》だが、ハマセンは「違《ちが》う、違《ちが》う」と、あわてて手《て》を振《ふ》った。

「ただの友達《ともだち》だ。でも、恐井先生《こわいせんせい》はオレと一緒《いっしょ》にいると、妖怪《ようかい》マンガのアイデアがモリモリわいてくるんだそうだ」

ハマセンがそう言《い》うと、横《よこ》にいた日陰《ひかげ》が、説明《せつめい》を補足《ほそく》する。

「浜田《はまだ》さんと恐井先生《こわいせんせい》は先日《せんじつ》、『多田里村《ただりむら》ツアー』で知《し》り合《あ》われたそうです」

社長《しゃちょう》といっても、日陰《ひかげ》はまだ30歳《さい》くらいだ。やせていて前髪《まえがみ》は長《なが》く、目《め》が隠《かく》れていて表情《ひょうじょう》がわかりにくい。

知《し》った顔《かお》は、ほかにもいた。あの完全寺満夫《かんぜんじみつお》である。完全寺《かんぜんじ》は、チームメンバーとして、「弟子《でし》」と称《しょう》する、2人《ふたり》の若者《わかもの》を連《つ》れていた。

「彼《かれ》らは、大学《だいがく》の理工学部《りこうがくぶ》の学生《がくせい》だ。わたしたちのチームの優勝《ゆうしょう》は、決《き》まったようなもんだな！」

頭《あたま》の良《よ》さそうな学生《がくせい》たちをうまく言《い》いくるめ、自分《じぶん》の弟子《でし》に仕立《した》てて、仲間《なかま》に引《ひ》き込《こ》んだようだ。

突然《とつぜん》、ピーッという笛《ふえ》の音《おと》が鳴《な》り響《ひび》いた。

笛《ふえ》を吹《ふ》いているのは、鉄道員《てつどういん》の制帽《せいぼう》をかぶった男《おとこ》の子《こ》だ。もう片方《かたほう》の手《て》にはスマホを握《にぎ》りしめ、首《くび》には、輪《わ》っかのような金属《きんぞく》のアクセサリーをぶらさげている。

「右《みぎ》よし、左《ひだり》よし！」

男《おとこ》の子《こ》は指《ゆび》さし確認《かくにん》をすると、「出発《しゅっぱつ》、進行《しんこう》！」と叫《さけ》んで、こちらに近《ちか》づいてきた。

「こんにちは！　ボク、朝風《あさかぜ》隼《はやぶさ》っていいます。小学《しょうがく》6年生《ねんせい》です。キミたちも、ボクと同《おな》じ年《とし》くらいですよね？　どうぞよろしくお願《ねが》いします」

朝風隼《あさかぜはやぶさ》と名乗《なの》る男《おとこ》の子《こ》は、人《ひと》なつこい表情《ひょうじょう》を浮《う》かべながら、そうあいさつした。

「あ、そうだ！　ボクのチームメートを紹介《しょうかい》するです。父《ちち》の朝風銀河《あさかぜぎんが》と、兄《あに》の暁《あかつき》です」

隼《はやぶさ》に紹介《しょうかい》され、かたわらにいた父《ちち》の銀《ぎん》河《が》は、ちょっぴり引《ひ》き気味《ぎみ》の笑顔《えがお》で、

「どうも」と会釈《えしゃく》をする。兄《あに》の暁《あかつき》も、

そっけない口調《くちょう》で言《い》った。

「どうぞよろしく。隼《はやぶさ》、あまりうろちょろするんじゃないぞ」

隼《はやぶさ》は「はーい」と答《こた》え、うつむきかげんでスマホをいじりはじめた。

参加者《さんかしゃ》の最後《さいご》にやってきたのは、なんとあの飯島凜《いいじまりん》だった。ホームズ学園《がくえん》の四天王《してんのう》のうちの2人《ふたり》——水《みず》の闘神《とうしん》・アレクサンドル大瀧《おおたき》と、炎《ほのお》の呪術師《じゅじゅつし》の神宮寺《じんぐうじ》キリコを連《つ》れている。

凜《りん》も、このツアーに招待《しょうたい》されたらしい。

「ボクは興味《きょうみ》なかったんだけど、アレクサンドルがどうしても参加《さんか》したいって言《い》うもんだから、しかたなくね」

凜《りん》によると、アレクサンドルは「超《ちょう》」がつくほどの鉄道《てつどう》ファン、しかも写真《しゃしん》を撮《と》るのが好《す》きな「撮《と》り鉄《てつ》」なのだという。

「でも、よかったよ。こうして思《おも》いがけず、真実《しんじつ》くんたちと再会《さいかい》できたんだから」

凜《りん》は、うれしそうに言《い》った。

「アタシもよ。謎野真実《なぞのしんじつ》、あなたとまた謎解《なぞと》きの勝負《しょうぶ》ができるなんて、願《ねが》ってもないことだわ」

キリコは、意味深《いみしん》にほほえみ、
キラリと目《め》を光《ひか》らせた。

「まもなく、ゼロ番線《ばんせん》に列車《れっしゃ》が参《まい》ります」

アナウンスが流《なが》れ、ガタンゴトンという音《おと》が近《ちか》づいてきた。ホームに現《あらわ》れたのは、7両編《りょうへん》成《せい》の列車《れっしゃ》だ。先頭《せんとう》は、金《きん》のエンブレムのついた機関車《きかんしゃ》。そこに、ロイヤルワインレッドのレトロな客車《きゃくしゃ》が6両連結《りょうれんけつ》されている。

スマホをいじるのに夢中《むちゅう》になっていた隼《はやぶさ》は、顔《かお》をあげ、興奮《こうふん》した声《こえ》で叫《さけ》んだ。

「ビッグディッパーだ！　かってヨーロッパ大陸《たいりく》を縦断《じゅうだん》していた国際寝台車《こくさいしんだいしゃ》ですよ！」

アレクサンドルは、青《あお》い目《め》を熱《あつ》く輝《かがや》かせながら、入線《にゅうせん》した列車《れっしゃ》を写真《しゃしん》に撮《と》りはじめる。

「これが、ぼくたちの乗《の》る電車《でんしゃ》!?」

健太《けんた》も、その豪華《ごうか》さに圧倒《あっとう》された。

「電車《でんしゃ》ではないです。ディーゼル機関車《きかんしゃ》と客車《きゃくしゃ》ですよ。この列車《れっしゃ》は、電気《でんき》では動《うご》きませんからね」

隼《はやぶさ》が、ただちに健太《けんた》の間違《まちが》いを指摘《してき》する。健太《けんた》は、素直《すなお》に感心《かんしん》しながら、こう言《い》った。

「えっ、そうなの？　隼《はやぶさ》くん、鉄道《てつどう》に詳《くわ》しいんだね」

「これは常識《じょうしき》ですよ、えーっと……」

「ああ、ぼくは健太《けんた》。よろしくね」

列車《れっしゃ》の内部《ないぶ》は、さらに豪華《ごうか》だった。客車《きゃくしゃ》の1号車《ごうしゃ》は参加者《さんかしゃ》がくつろげるスペースのあるラウンジカー、2号車《ごうしゃ》は食堂車《しょくどうしゃ》になっていて、3号車《ごうしゃ》から6号車《ごうしゃ》までは、それぞれ3部屋《へや》ずつ、客室《きゃくしつ》が備《そな》わっている。

参加者《さんかしゃ》が車内《しゃない》に入《はい》ると、放送《ほうそう》が流《なが》れた。

寝台車《しんだいしゃ》
夜間《やかん》、寝《ね》ながら移動《いどう》できるように、座席《ざせき》の代《か》わりに横《よこ》になれるベッド（＝寝台《しんだい》）を設《もう》けた車両《しゃりょう》のこと。日本《にほん》では「ブルートレイン」と呼《よ》ばれる特急寝《とっきゅうしん》台車両《だいしゃりょう》があった。

ディーゼル機関車《きかんしゃ》
客車《きゃくしゃ》や貨物車《かもつしゃ》を引《ひ》っ張《ば》るための鉄道車両《てつどうしゃりょう》を機関車《きかんしゃ》と呼《よ》ぶ。ディーゼル機関車《きかんしゃ》は、石油燃《せきゆねん》料《りょう》（軽油《けいゆ》）で走《はし》る機関車《きかんしゃ》のこと。ほかに電気機関車《でんききかんしゃ》、蒸気《じょうき》機関車《きかんしゃ》（SL《エスエル》）などがある。

客車《きゃくしゃ》
人《ひと》や貨物《かもつ》を輸送《ゆそう》する鉄道車両《てつどうしゃりょう》のうち、自分《じぶん》で動《うご》く力《ちから》（動力《どうりょく》）を持《も》たず、機関車《きかんしゃ》などに引《ひ》っ張《ば》られる車両《しゃりょう》のこと。日本《にほん》では数《かず》が減《へ》っている。

ミステリートレインの車内《しゃない》

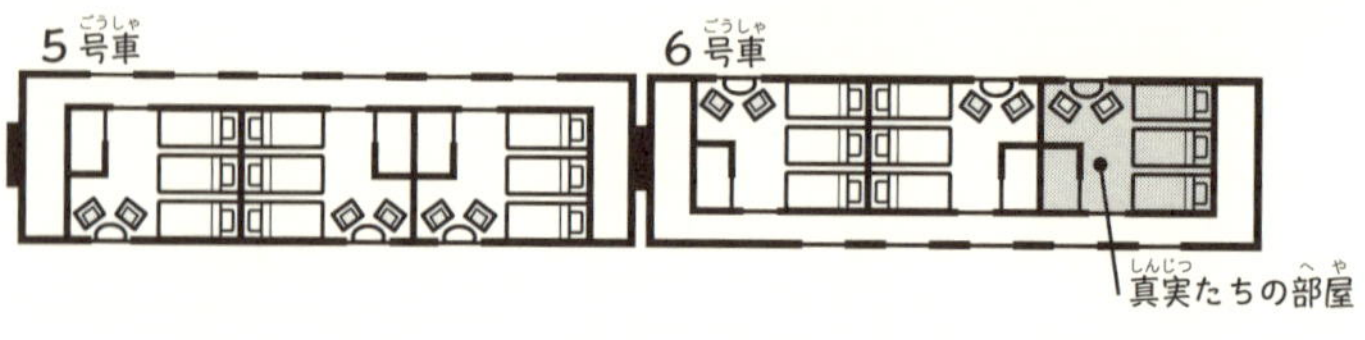

「ツアーご参加《さんか》のみなさん、1号車《ごうしゃ》のラウンジカーにお集《あつ》まりください」

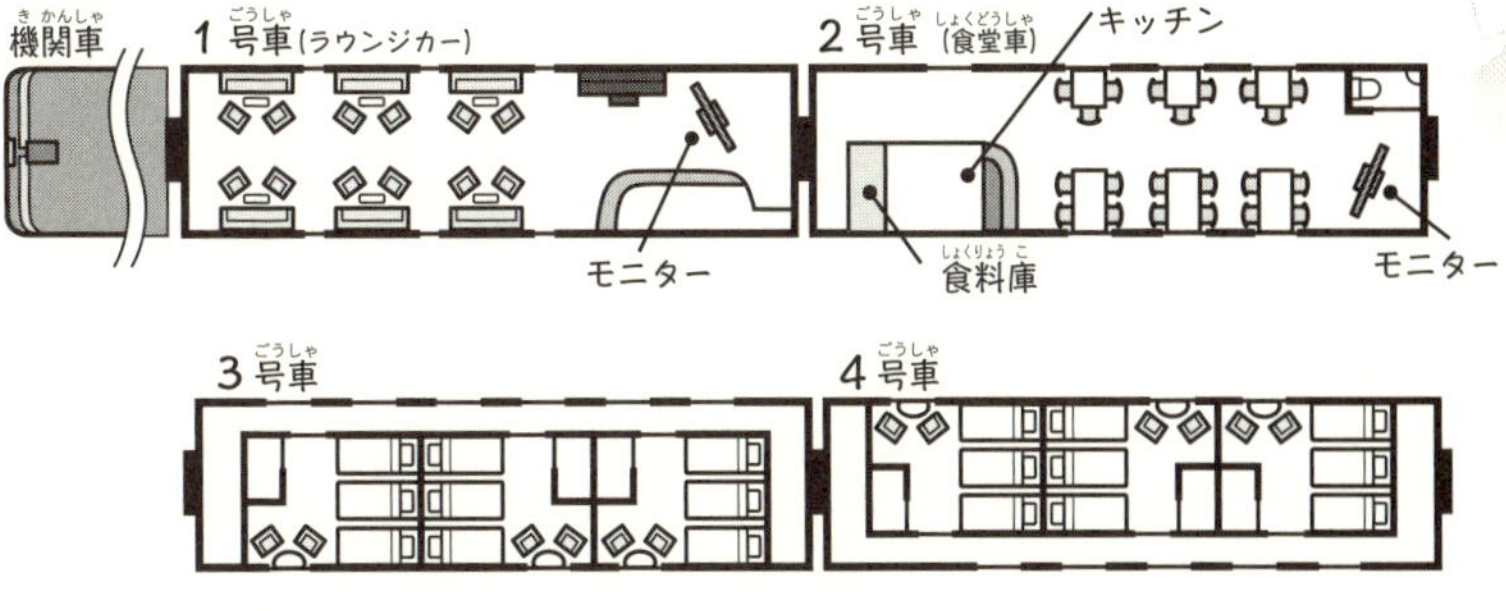

ラウンジカーには、バーカウンターが設置《せっち》され、ピアノが置《お》かれていた。座席《ざせき》は、ゆったり座《すわ》れるソファとなっている。

ソファの色《いろ》も、カーペットと同系色《どうけいしょく》の薄《うす》めの紫色《むらさきいろ》だった。

12組《くみ》、総勢《そうぜい》36人《にん》の参加者《さんかしゃ》たちが、ラウンジカーに集合《しゅうごう》すると、大《おお》きなモニターに、まるでヨーロッパのかつての貴族《きぞく》のように豪華《ごうか》な服《ふく》を着《き》た人物《じんぶつ》が映《うつ》し出《だ》された。その人物《じんぶつ》は、SL《エスエル》の煙突《えんとつ》のようなシルクハットをかぶり、SL《エスエル》の正面《しょうめん》をかたどった、かわいい顔《かお》のお面《めん》をつけていた。

「みなさん、こんにちは。

ようこそ、ミステリートレインツアーへ!

わたしがこのツアーの主催者《しゅさいしゃ》、ミステリー男爵《だんしゃく》であります。

これよりみなさんを、謎《なぞ》とスリルの旅《たび》へとお連《つ》れするのであります。

それに先立《さきだ》ちまして、参加者《さんかしゃ》のみなさんに、ID《アイディー》をお配《くば》りしたいと思《おも》うのであります」

ミステリー男爵《だんしゃく》の言葉《ことば》を合図《あいず》に、1人《ひとり》の係員《かかりいん》が参加者《さんかしゃ》たちにID《アイディー》を配《くば》りはじめる。

ID《アイディー》は幅《はば》のある鉄製《てっせい》の輪《リング》で、両手《りょうて》両足用《りょうあしよう》にそれぞれ2《ふた》つずつ、計《けい》4《よっ》つあった。

「ID《アイディー》って、こんなにたくさんつけなきゃいけないの？　なんだか囚人《しゅうじん》みたい……」

美希《みき》がつぶやくと、それに応答《おうとう》するかのように、モニター内《ない》のミステリー男爵《だんしゃく》が言《い》った。

「そのID《アイディー》は、脈《みゃく》や心電図《しんでんず》も測《はか》れるのであります。ID《アイディー》を身《み》につけていれば、みなさんの健康《けんこう》

状態《じょうたい》を常《つね》にチェックできるのであります。安全《あんぜん》のため、必《かなら》ず身《み》につけていてくださいね。なお、この列車《れっしゃ》は、自動運転《じどううんてん》システムを搭載《とうさい》し、わたしたちが運行《うんこう》を遠《とお》くから制御《せいぎょ》しておりますので、どうかご安心《あんしん》ください。では、みなさん、よい旅《たび》を！」

全員《ぜんいん》がＩＤ《アイディー》を身《み》につけると、発車《はっしゃ》のベルが鳴《な》り、列車《れっしゃ》が走《はし》り出《だ》した。

（ミステリートレインツアー……いったいどんな旅《たび》になるんだろう？）

健太《けんた》は、ワクワクと胸《むね》を躍《おど》らせた。

ところが、ふと車内《しゃない》を見回《みまわ》すと、異様《いよう》に張《は》りつめた空気《くうき》が漂《ただよ》っている。

キリコが健太《けんた》にボソリと言《い》った。

「1億円《おくえん》のかかった真剣勝負《しんけんしょうぶ》だもの、みんな緊張《きんちょう》するわよね。まあ、このゲームで優勝《ゆうしょう》するのは、天才《てんさい》が3人《にん》そろった、アタシたちホームズ学園《がくえん》チームだけど」

キリコが断言《だんげん》したそのとき、スマホをいじっていた隼《はやぶさ》が、突如話《とつじょはなし》に割《わ》り込《こ》んできた。

「**いえ、優勝《ゆうしょう》するのは、ボクたち朝風家《あさかぜけ》チームです！**　ボクの父《ちち》と兄《あに》は、とても優秀《ゆうしゅう》なんですよ！　鉄道《てつどう》にたとえると、リニアモーターカーぐらい、ハイスペックな人間《にんげん》なんです！」

「こら、隼《はやぶさ》、恥《は》ずかしいから、やめなさい」

「すいませんねぇ。こいつ、見《み》てのとおり、空気《くうき》の読《よ》めないやつで……」
銀河《ぎんが》と暁《あかつき》は、あわてて隼《はやぶさ》を引《ひ》っ張《ぱ》ると、自分《じぶん》たちの席《せき》に連《つ》れ戻《もど》した。

真実《しんじつ》、健太《けんた》、美希《みき》の部屋《へや》「63号室《ごうしつ》」は、6両目《りょうめ》のいちばんうしろの部屋《へや》だった。部屋《へや》には、ベッドが3台《だい》、シャワー、トイレが完備《かんび》されていて、男《おとこ》の子《こ》の真実《しんじつ》・健《けん》太《た》の部屋《へや》と、女《おんな》の子《こ》の美希《みき》の部屋《へや》の間《あいだ》は、アコーディオンカーテンで仕切《しき》れるようになっている。

「すごいや！　こんなホテルみたいな列車《れっしゃ》、初《はじ》めて見《み》た！」
「まるで夢《ゆめ》のようだわ！」

3人《にん》が部屋《へや》でくつろいでいると、ノックの音《おと》がして、隼《はやぶさ》が訪《たず》ねてきた。

「健太《けんた》くんはいますか？　よかったら、ボクの部屋《へや》に遊《あそ》びにきませんか？」

隼《はやぶさ》の部屋《へや》で、隼《はやぶさ》が自分《じぶん》で作《つく》ったという鉄道《てつどう》ジオラマの写真《しゃしん》や、サボ（かつて鉄道《てつどう》で、行《い》き先《さき》などを表示《ひょうじ》した板《いた》）のコレクションを見《み》せられた健太《けんた》は、うらやましくなり、思《おも》わず言《い》った。

「いいなあ、かっこいい～！　ぼくも鉄道《てつどう》グッズ、集《あつ》めようかなあ」

すると、隼《はやぶさ》が切《き》り出《だ》す。

「よかったら、健太《けんた》くん、タブレット交換《こうかん》しませんか？」

「タブレットって、端末《たんまつ》のことだよね？」

「そっちじゃないです。線路《せんろ》が1つしかない単線区間《たんせんくかん》で、反対方向《はんたいほうこう》から走《はし》ってくる列車《れっしゃ》とぶつからず安全《あんぜん》にすれ違《ちが》うことができるように使《つか》われていた、金属製《きんぞくせい》の通行手形《つうこうてがた》みたいなものです。ボクが首《くび》にかけているこの輪《わ》のようなアクセサリーは、そのタブレットの入《い》れ物《もの》を模《も》したものなんです。これを友達《ともだち》のしるしに、健太《けんた》くんに差《さ》し上《あ》げるです」

隼《はやぶさ》は、そう言《い》うと、アクセサリーを首《くび》から外《はず》し、健太《けんた》に差《さ》し出《だ》す。健太《けんた》は感激《かんげき》し、自分《じぶん》も

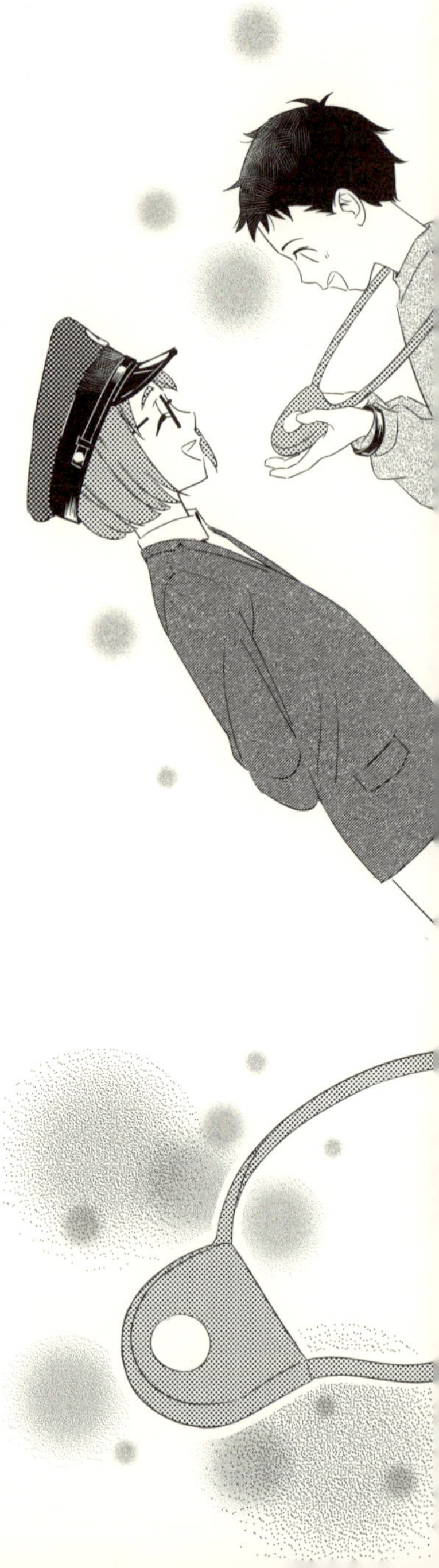

クワガタのキーホルダーをリュックから外《はず》して、隼《はやぶさ》に差《さ》し出《だ》した。

「隼《はやぶさ》くんが鉄道《てつどう》を好《す》きなように、ぼくも昆虫《こんちゅう》が大好《だいす》きなんだ。友達《ともだち》になったしるしに、ぼくの宝物《たからもの》、隼《はやぶさ》くんにあげるよ」

「ありがとうです。うれしいな」

隼《はやぶさ》は、クワガタのキーホルダーを自分《じぶん》のリュックに取《と》りつけた。

そのとき、列車《れっしゃ》が停車《ていしゃ》した。

「多四川駅《たしかわえき》に到着《とうちゃく》しました。
この駅《えき》で5分間《ふんかん》の停車《ていしゃ》をいたします」

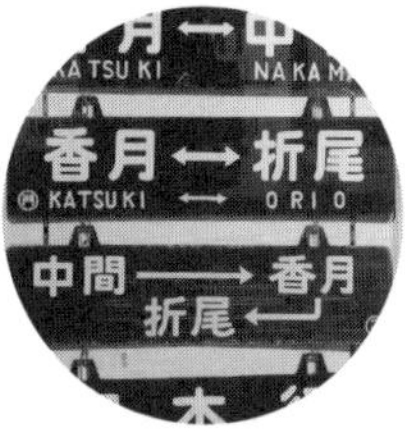

サボ
「サインボード」の略《りゃく》。列車《れっしゃ》の行《い》き先《さき》などを示《しめ》すために、列《れっ》車《しゃ》の前面《ぜんめん》や側面《そくめん》に掲《かか》げられた金属《きんぞく》やプラスチックの板《いた》。現《げん》在《ざい》では電光掲示板《でんこうけいじばん》に置《お》き換《か》わり、数《かず》が少《すく》なくなっている。

タブレット
単線区間《たんせんくかん》で使《つか》われる通行票《つうこうひょう》。1《ひと》つの区間《くかん》にタブレットは1《ひと》つだけで、乗務員《じょうむいん》はタブレットを受《う》け取《と》らなければ列車《れっしゃ》を進行《しんこう》させられない。写真《しゃしん》はタブレット交換《こうかん》のようす。

車内《しゃない》アナウンスが告《つ》げると、隼《はやぶさ》ははずんだ声《こえ》で言《い》った。

「やった！　スイッチバックを見《み》にいくです！」

スイッチバックとは、列車《れっしゃ》が方向転換《ほうこうてんかん》しながら急《きゅう》な坂道《さかみち》を上《のぼ》るためのしくみのことをいう。

「多四川駅《たしかわえき》にあるのは、日本《にほん》ではいちばん数《かず》の多《おお》い、折《お》り返《かえ》し形《がた》のスイッチバックなんです」

健太《けんた》は、隼《はやぶさ》と一緒《いっしょ》に外《そと》に出《で》た。

折《お》り返《かえ》し形《がた》スイッチバック

ジグザグに敷《し》かれている線路《せんろ》を向《む》きを変《か》えながら、高低差《こうていさ》のあるところを上《のぼ》る

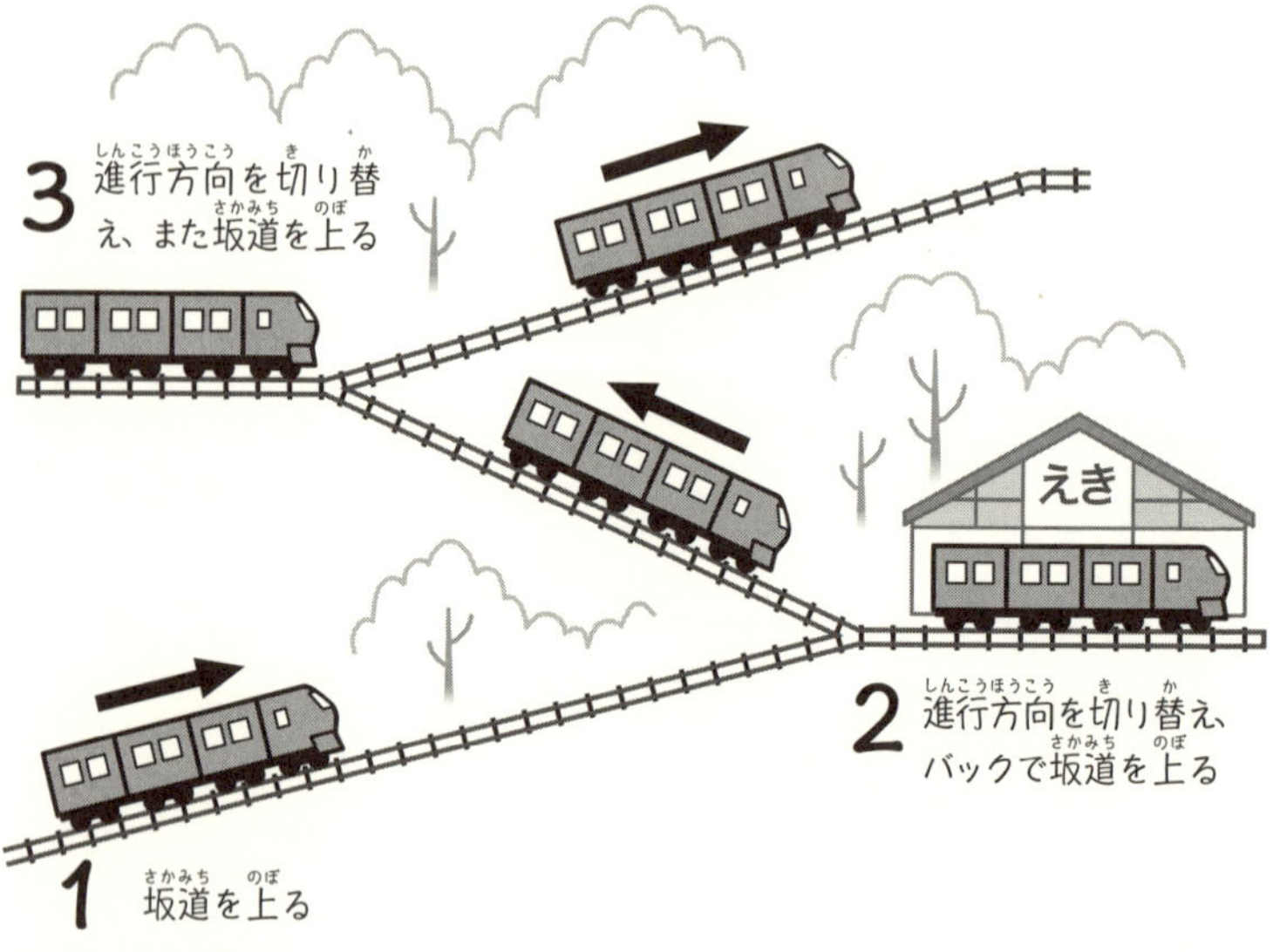
3 進行方向《しんこうほうこう》を切《き》り替《か》え、また坂道《さかみち》を上《のぼ》る
えき
2 進行方向《しんこうほうこう》を切《き》り替《か》え、バックで坂道《さかみち》を上《のぼ》る
1 坂道《さかみち》を上《のぼ》る

あたりには、雪《ゆき》がちらついている。

駅《えき》のホームには、カメラを手《て》にしたアレクサンドルの姿《すがた》もあった。

「あれが、スイッチバックの線路《せんろ》ですよ！」

隼《はやぶさ》が、前方《ぜんぽう》に見《み》える2股《ふたまた》に分《わ》かれた線路《せんろ》を指《ゆび》さす。

「あそこにあるポイントが切《き》り替《か》わって、列車《れっしゃ》の進行方向《しんこうほうこう》も変《か》わるんです。ここから先《さき》、バックしたり前進《ぜんしん》したりを繰《く》り返《かえ》しながら、ジグザグに山《やま》の斜面《しゃめん》を上《のぼ》っていくんですよ」

「そうなんだ。そんなしくみを考《かんが》えついた人《ひと》って、すごいね！」

健太《けんた》は感動《かんどう》する。そのとき、発車《はっしゃ》のベルが鳴《な》った。一同《いちどう》は、あわてて車内《しゃない》に戻《もど》る。

動《うご》き出《だ》した列車《れっしゃ》は、隼《はやぶさ》が言《い》ったとおり、うしろ向《む》きに、山《やま》の斜面《しゃめん》を上《のぼ》りはじめた。

ちょうど、昼食《ちゅうしょく》の時間《じかん》になっていた。

車内《しゃない》アナウンスの案内《あんない》を聞《き》いて、真実《しんじつ》、健太《けんた》、美希《みき》の3人《にん》は、食堂車《しょくどうしゃ》に足《あし》を運《はこ》んだ。

「こちらがメニューになります。無料《むりょう》ですので、どれでもお好《す》きなものをご注文《ちゅうもん》ください」

うやうやしくメニューを持《も》ってきたのは、先《さき》ほど参加者《さんかしゃ》たちにID《アイディー》を配《くば》っていた係員《かかりいん》だ。

「えっと、じゃあ……ぼくは、ハンバーグとメロンソーダとアイスクリーム！」

健太《けんた》は、大好物《だいこうぶつ》のメニューを注文《ちゅうもん》する。

「ぼくは、白身魚《しろみざかな》と野菜《やさい》のグリル。それと、食後《しょくご》にデミタスコーヒーを」

真実《しんじつ》は、ヘルシーなメニューを注文《ちゅうもん》した。学校新聞《がっこうしんぶん》の取材《しゅざい》を兼《か》ねていた美希《みき》は、記事《きじ》のネタにと、スペシャルメニューの「びっくり冷《ひ》やし中華《ちゅうか》」を注文《ちゅうもん》した。

列車《れっしゃ》は、再《ふたた》びスイッチバックして、今度《こんど》は前進《ぜんしん》しながら、山《やま》を上《のぼ》りはじめた。

料理《りょうり》を待《ま》っている間《あいだ》に、窓《まど》の外《そと》は、どんどん雪景色《ゆきげしき》に変《か》わっていく。

「すごい！　四陵線《しりょうせん》って、こんな雪深《ゆきぶか》い山《やま》の中《なか》を通《とお》っていたんだね」

健太《けんた》は車窓《しゃそう》を見《み》ながら、声《こえ》を張《は》り上《あ》げた。すると美希《みき》が、低《ひく》い声《こえ》で言《い》う。

そのことなんだけど……ちょっと怖《こわ》いことを知《し》っちゃったのよね。

この四陵線《しりょうせん》は、別名《べつめい》『死霊線《しりょうせん》』と呼《よ》ばれる、恐怖《きょうふ》の心霊鉄道《しんれいてつどう》だったらしいのよ」

戦国時代《せんごくじだい》の古戦場《こせんじょう》、落盤事故《らくばんじこ》で大勢《おおぜい》の死者《ししゃ》が出《で》た地下鉱山《ちかこうざん》など、沿線《えんせん》には心霊《しんれい》スポットばかりがあったのだという。

健太《けんた》は、ゾッとした。

「せっかく楽《たの》しい旅《たび》なんだから、美希《みき》ちゃん、今《いま》はそういう話《はなし》、やめようよ〜〜！」

「お待《ま》たせしました」

そのとき、注文《ちゅうもん》した料理《りょうり》が運《はこ》ばれてきた。

美希《みき》が注文《ちゅうもん》した「びっくり冷《ひ》やし中華《ちゅうか》」は、麺《めん》の色《いろ》が緑色《みどりいろ》で少《すこ》し変《か》わっているが、それ以外《いがい》は特《とく》にどうということもない、ふつうの冷《ひ》やし中華《ちゅうか》だった。

「これのどこが『びっくり』なの？」

「食《た》べる前《まえ》に、お酢《す》をかけて、お召《め》し上《あ》がりください」

係員《かかりいん》は、ほほえみながら言《い》う。

美希《みき》が、けげんそうに眉《まゆ》を寄《よ》せながら、冷《ひ》やし中華《ちゅうか》に酢《す》をかけてみると、なんと、その部分《ぶぶん》の麺《めん》の色《いろ》が一瞬《いっしゅん》で緑《みどり》からピンクに変《か》わった。

「うわあ、びっくりした〜〜!!
どうして中華麺《ちゅうかめん》の色《いろ》が変《か》わったの!?」

目《め》を丸《まる》くする美希《みき》。見《み》ると、隣《となり》のテーブルでステーキにかじりついていたはずのハマセンも、好奇心《こうきしん》いっぱいの目《め》で、「びっくり冷《ひ》やし中華《ちゅうか》」に釘付《くぎづ》けとなっている。

「おもしろそうだな。オレもそれ、追加《ついか》で注文《ちゅうもん》する!」

注文《ちゅうもん》して、しばらく経《た》ってから、ハマセンはキッチンをのぞきに行《い》った。「びっくり冷《ひ》やし中華《ちゅうか》」がどうやって作《つく》られるのか、その秘密《ひみつ》を探《さぐ》ろうと考《かんが》えたのだ。

「立派《りっぱ》な食料庫《しょくりょうこ》もあるな……うわ!」

ガッシャーン!!

キッチンから大《おお》きな音《おと》と、「すいませんっ、すいませんっ」と謝《あやま》るシェフの声《こえ》が聞《き》こえてきた。

「いやあ、こっちこそ、すまん……驚《おどろ》かせてしまったな」

ハマセンは、バツが悪《わる》そうにしながら、キッチンから出《で》てきた。

シェフは、ツノつきベレー帽《ぼう》をかぶったハマセンを妖怪《ようかい》と見間違《みまちが》えて驚《おどろ》いたのか、手《て》にした鍋《なべ》を落《お》としてしまったのだという。

そのとき、飛《と》び散《ち》った鍋《なべ》の煮汁《にじる》が両足《りょうあし》にかかったらしく、ハマセンの白《しろ》いバスケットシューズは、紫色《むらさきいろ》に染《そ》まっていた。ズボンの裾《すそ》にも、紫《むらさき》のシミが飛《と》び散《ち》っている。

「ひょっとして、シェフがひっくり返《かえ》した鍋《なべ》の中身《なかみ》は、紫《むらさき》キャベツを煮《に》つめたものだったんじゃないですか？」

真実《しんじつ》が、ハマセンにたずねた。ハマセンが「ああ、たしかそうだった」と答《こた》えると、真実《しんじつ》はニヤリと笑《わら》った。

「なるほど。わかりましたよ。『びっくり冷《ひ》やし中華《ちゅうか》』の作《つく》り方《かた》が」

「えっ、なんだって!? 謎野《なぞの》、どうやって作《つく》ったんだ!?」

興味津々《きょうみしんしん》で身《み》を乗《の》り出《だ》すハマセンと健太《けんた》、美希《みき》に、真実《しんじつ》はその作《つく》り方《かた》を説明《せつめい》する。

「『びっくり冷《ひ》やし中華《ちゅうか》』の麺《めん》は、紫《むらさき》キャベツを煮出《にだ》した汁《しる》でゆでられていたんです。紫《むらさき》キャベツの汁《しる》は、アルカリ性《せい》のものと混《ま》ざると青《あお》、緑《みどり》、黄色《きいろ》に、酸性《さんせい》のものと混《ま》ざるとピンクや赤《あか》に変色《へんしょく》するんです。中華麺《ちゅうかめん》は、『かん水《すい》』というアルカリ性《せい》の水溶液《すいようえき》を使《つか》って作《つく》られているから、煮汁《にじる》が麺《めん》の中《なか》に含《ふく》まれることで緑色《みどりいろ》に変《か》わる。しかし、そこに酸性《さんせい》のお酢《す》をかけると、今度《こんど》は緑《みどり》からピンクなどの赤《あか》に近《ちか》い色《いろ》に変《か》わるんです」

「そういえば紫《むらさき》キャベツは、酸性《さんせい》とアルカリ性《せい》を見分《みわ》けられるんだったね」

真実《しんじつ》の説明《せつめい》を聞《き》いて、かつて行《おこな》った理科《りか》の実験《じっけん》のことを健太《けんた》は思《おも》い出《だ》した。

「みなさん、お食事《しょくじ》はおすみですか？　突然《とつぜん》ですが、ここでファーストステージを始《はじ》めたいと思《おも》うのであります」

食堂車《しょくどうしゃ》のモニターに突如《とつじょ》映《うつ》し出《だ》されたミステリー男爵《だんしゃく》が、乗客《じょうきゃく》たちに告《つ》げた。

一同《いちどう》の間《あいだ》に緊張《きんちょう》が走《はし》る。ついに、１億円《おくえん》の争奪戦《そうだつせん》が始《はじ》まったのだ。

「みなさん、電車《でんしゃ》の多《おお》くがレール上空《じょうくう》に敷《し》かれた架線《かせん》からパンタグラフという装置《そうち》で電気《でんき》を取《と》り込《こ》んでいることはご存《ぞん》じですよね？　ところで、レールには、それとは別《べつ》に電流《でんりゅう》は流《なが》れているで

「びっくり冷《ひ》やし中華《ちゅうか》」の作《つく》り方《かた》

きざんだ紫《むらさき》キャベツで煮汁《にじる》をつくる
アルカリ性《せい》の「かん水《すい》」を含《ふく》む中華麺《ちゅうかめん》を煮汁《にじる》でゆでると、緑色《みどりいろ》になる
酢《す》
麺《めん》にレモン汁《じる》や酢《す》をかけると酸性《さんせい》になるため、赤《あか》に近《ちか》い色《いろ》になる

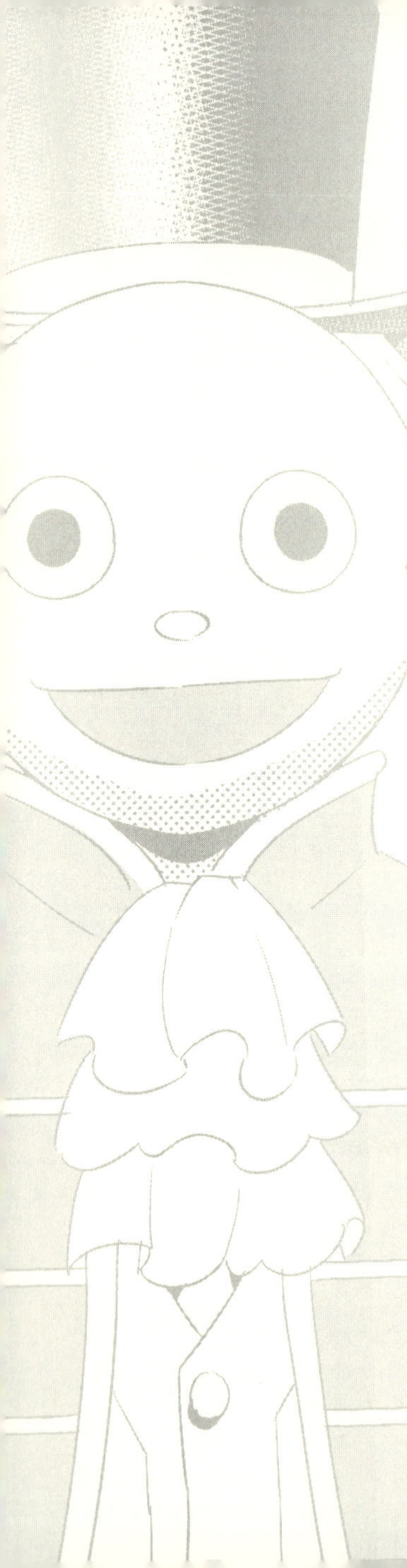

しょうか？　○か×かで答《こた》えていただきます。○と思《おも》われる方々《かたがた》は先頭車両《せんとうしゃりょう》に、×と思《おも》われる方々《かたがた》は最後尾《さいこうび》の車両《しゃりょう》に移動《いどう》してください」

「ええ〜、どっちが正解《せいかい》なんだろう？　さっぱりわかんないや」

健太《けんた》は、頭《あたま》をかかえこむ。

「おい、弟子《でし》ども、正解《せいかい》は○か？　×か？　どっちなのだ？」

完全寺《かんぜんじ》は、2人《ふたり》の弟子《でし》たちにたずねたが、弟子《でし》たちは困《こま》ったようすで顔《かお》を見合《みあ》わせた。

「自分《じぶん》ら、プログラミングが専攻《せんこう》なんで〜」

「鉄道《てつどう》のことは、ナンもわかんないっす」

「ええい、この役立《やくた》たずどもめが！」

いら立《だ》つ完全寺《かんぜんじ》の横《よこ》で、隼《はやぶさ》がボソリとつぶやく。

「レールに電流《でんりゅう》が流《なが》れているとしたら……踏切《ふみきり》を渡《わた》るとき、感電《かんでん》しちゃいませんかね」

「おっ、なるほど！　正解《せいかい》は×だな！　弟子《でし》ども、行《い》くぞ！」

完全寺《かんぜんじ》は、弟子《でし》たちを促《うなが》し、最後尾《さいこうび》の車両《しゃりょう》めがけて走《はし》り出《だ》す。

完全寺《かんぜんじ》に従《したが》い、半数《はんすう》ほどの乗客《じょうきゃく》たちが、同《おな》じ方向《ほうこう》に駆《か》け出《だ》していった。

「おっ、そっちが正解《せいかい》か！」

ハマセンも、恐井《こわい》や日《ひ》陰《かげ》とともに、完全寺《かんぜんじ》たちのあとに続《つづ》く。

一方《いっぽう》、ヒントを与《あた》えた隼《はやぶさ》は、その場《ば》にとどまっていた。銀河《ぎんが》と暁《あかつき》が、その場《ば》を動《うご》かずにいたからだ。

「ねえ、真実《しんじつ》くん。みんな、最後尾《さいこうび》のほうへ移動《いどう》しているけど、正解《せいかい》は×なの？」

健太《けんた》がたずねる。

「いや、正解《せいかい》は○さ。電化《でんか》された路線《ろせん》の場合《ばあい》、多《おお》くの電車《でんしゃ》は架線《かせん》から電気《でんき》を取《と》り、レールに

レールに電気《でんき》が流《なが》れる理由《りゆう》

電気《でんき》は出《で》たところに
戻《もど》る回路《かいろ》がないと流《なが》れない

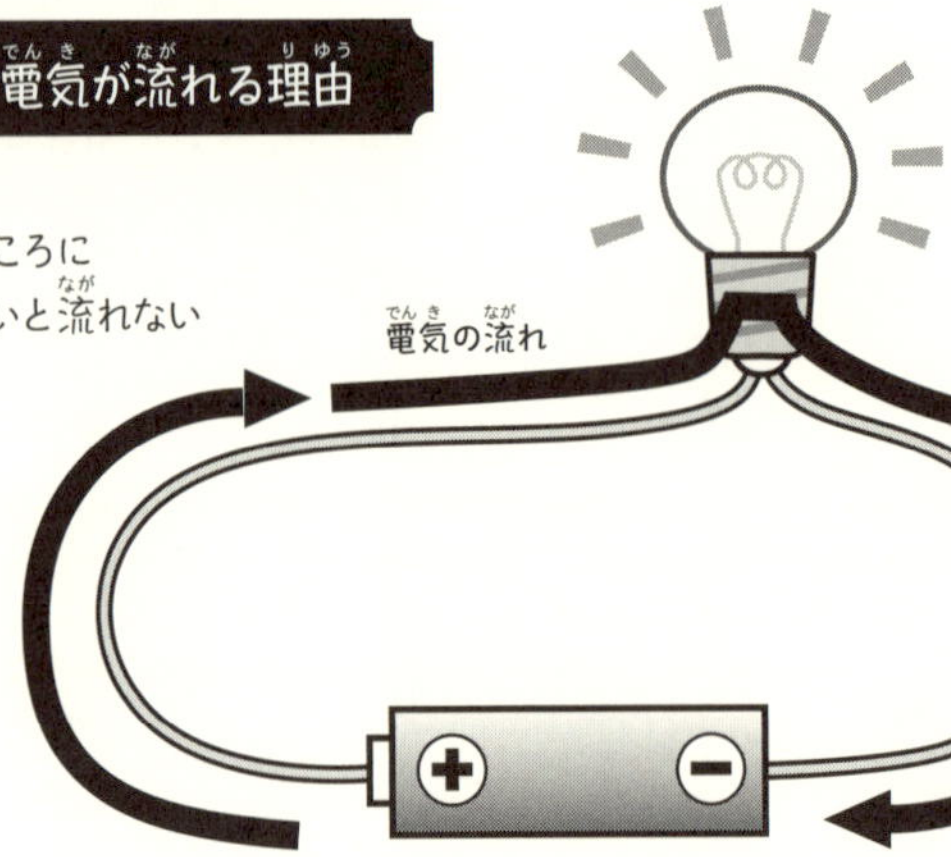

電気《でんき》の流《なが》れ

電気《でんき》で列車《れっしゃ》が走《はし》る区間《くかん》の場合《ばあい》

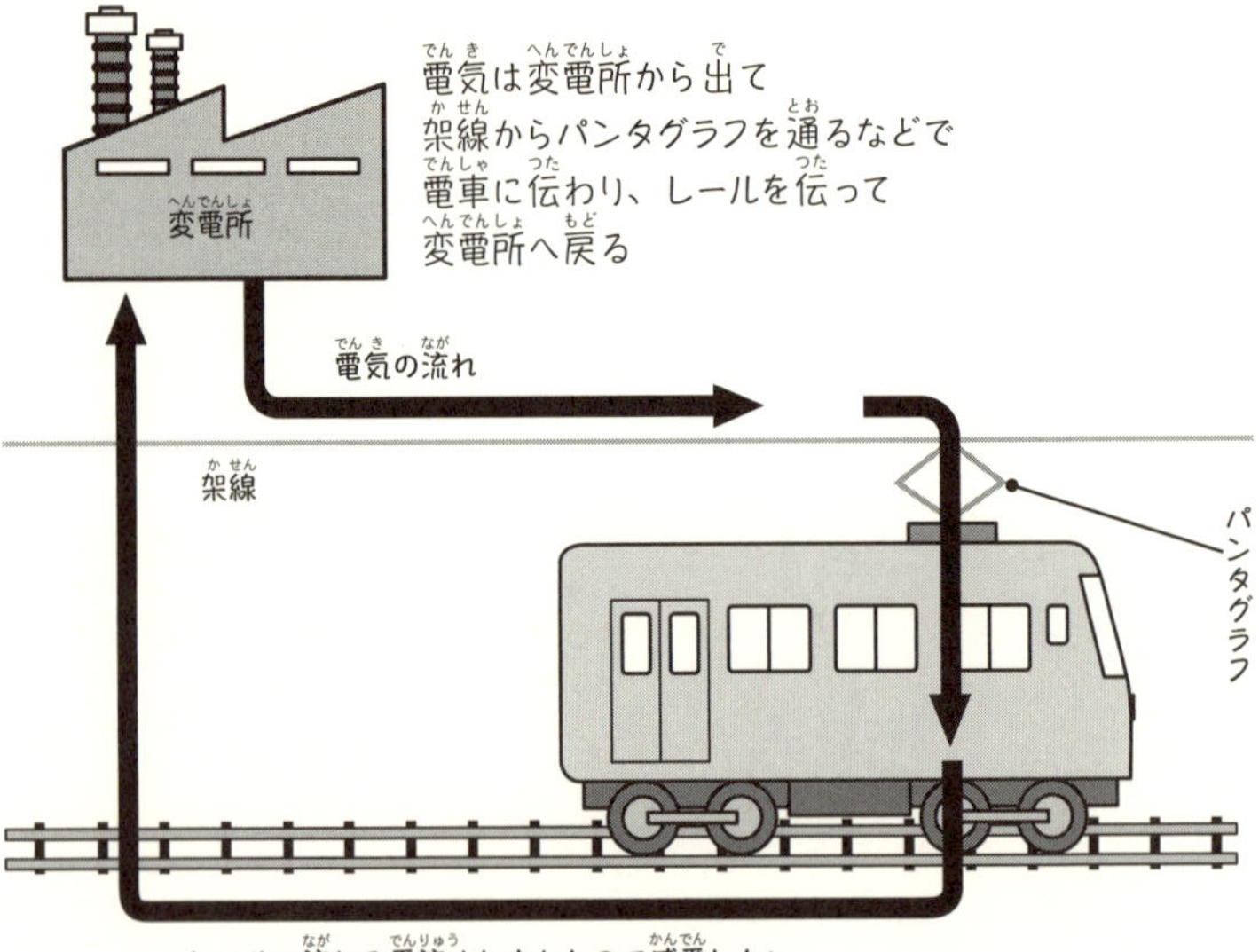

電気《でんき》は変電所《へんでんしょ》から出《で》て
架線《かせん》からパンタグラフを通《とお》るなどで
電車《でんしゃ》に伝《つた》わり、レールを伝《つた》って
変電所《へんでんしょ》へ戻《もど》る
変電所《へんでんしょ》
電気《でんき》の流《なが》れ
架線《かせん》
パンタグラフ

レールに流《なが》れる電流《でんりゅう》はわずかなので感電《かんでん》しない

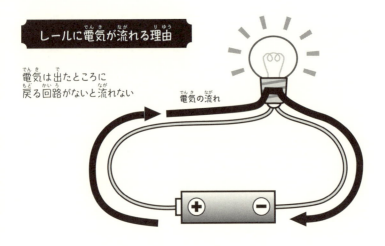

戻《もど》している。また、四陵線《しりょうせん》のように電化《でんか》されていない路線《ろせん》でも、信号《しんごう》システムを動《うご》かすための電流《でんりゅう》がほんのわずかだけどレールに流《なが》れているんだ。踏切《ふみきり》を渡《わた》ったくらいで感電《かんでん》することはない」

真実《しんじつ》は、食後《しょくご》のデミタスコーヒーを飲《の》み干《ほ》すと、ゆっくりと立《た》ち上《あ》がり、先頭車両《せんとうしゃりょう》に向《む》かって歩《ある》き出《だ》す。健太《けんた》と美希《みき》も、そのあとに従《したが》った。

それを見《み》て、隼《はやぶさ》はバツが悪《わる》そうな表情《ひょうじょう》で、銀河《ぎんが》と暁《あかつき》に言《い》う。

「……そうでしたね。ボクとしたことが、うっかりしてました」

先頭車両《せんとうしゃりょう》に向《む》かったのは、真実《しんじつ》たち、隼《はやぶさ》たち、凛《りん》たちと、ほかにもう2組《ふたくみ》のチームだった。一同《いちどう》が先頭車両《せんとうしゃりょう》にたどり着《つ》いたとき、背後《はいご》から、ドタバタという足音《あしおと》が聞《き》こえてくる。

駆《か》け込《こ》んできたのは、ハマセンたちだった。

「謎野《なぞの》が来《き》ていないってことは、正解《せいかい》は、こっちなんじゃないかと思《おも》ってな」

ハマセンたち3人《にん》は、最後尾《さいこうび》の手前《てまえ》の車両《しゃりょう》まで行《い》ったが、思《おも》い直《なお》し、戻《もど》ってきたという。

「みなさん、答《こた》えは決《き》まりましたですか？　それでは、それぞれの車両《しゃりょう》にある箱《はこ》を開《あ》けてみてください。おっとすみません。列車《れっしゃ》はこちらで一時停車《いちじていしゃ》いたします」

　モニターの画面《がめん》から、ミステリー男爵《だんしゃく》が告《つ》げる。
見《み》ると、車両《しゃりょう》の一角《いっかく》には、宝箱《たからばこ》のような箱《はこ》が置《お》かれていた。

　箱《はこ》の前《まえ》にいた真実《しんじつ》が、それを開《あ》けると、中《なか》には、４頭《とう》身《しん》のミステリー男爵人形《だんしゃくにんぎょう》が入《はい》っていた。人形《にんぎょう》はプラカードを手《て》にしており、そこには《**正解**《せいかい》》と書《か》かれていた。

「先頭車両《せんとうしゃりょう》に来《こ》られたみなさん、おめでとうございます！　正解《せいかい》は『〇』！　実《じつ》はレールにも、ほんのわずかですが電流《でんりゅう》が流《なが》れているのであります」

その場《ば》にいた一同《いちどう》は、「やった!!」と小躍《こおど》りする。

「すごいや！　真実《しんじつ》くん」

健太《けんた》は叫《さけ》んだ。そして、列車《れっしゃ》は再《ふたた》び動《うご》き出《だ》した。

「不正解《ふせいかい》の人《ひと》たちはどうなったんでしょうね。ちょっと、見《み》てきますね」

隼《はやぶさ》は、そう言《い》って車両《しゃりょう》をあとにする。

だがしばらくして、隼《はやぶさ》は血相《けっそう》を変《か》えて戻《もど》ってきた。

「たいへんです！　うしろに行《い》った人《ひと》たちが消《き》えてしまったです！」

「えっ、消《き》えた!?」

健太《けんた》は、ぼう然《ぜん》とした。

先頭車両《せんとうしゃりょう》にいた乗客《じょうきゃく》たちは、バタバタと走《はし》って、最後尾《さいこうび》の車両《しゃりょう》へとやってきた。

そこには同《おな》じ箱《はこ》が置《お》かれてあり、中《なか》には、同《おな》じ4頭身《とうしん》のミステリー男爵人形《だんしゃくにんぎょう》が入《はい》っていた。プラカードの表裏《おもてうら》には、《**不正解《ふせいかい》　ゲーム脱落《だつらく》です**》と書《か》かれている。

そして、乗客《じょうきゃく》たちの姿《すがた》は、どこにも見当《みあ》たらない。

「たしか、半数《はんすう》の乗客《じょうきゃく》が、うしろに向《む》かったはずだよな？」

ハマセンがつぶやく。

「まさか……列車《れっしゃ》から、飛《と》び降《お》りたのか!?」

不正解

「もしかして、誰《だれ》かに突《つ》き落《お》とされたのかも！」

ハマセンと美希《みき》は、そう言《い》って、こわばった顔《かお》を見合《みあ》わせた。

「単純《たんじゅん》に、最後尾《さいこうび》の車両《しゃりょう》が、乗客《じょうきゃく》ごと切《き》り離《はな》されたんじゃない？」

キリコが、クールに言《い》う。すると、隼《はやぶさ》が、即座《そくざ》に答《こた》えた。

「いえ、さっき数《かぞ》えてみたけど、客車《きゃくしゃ》は、乗《の》ったときと同《おな》じ6両《りょう》でしたよ」

一同《いちどう》、静《しず》まり返《かえ》る。そんななか、健太《けんた》が、震《ふる》えながら切《き》り出《だ》した。

「ひょっとして、消《き》えた乗客《じょうきゃく》の人《ひと》たちは、死霊《しりょう》に連《つ》れていかれちゃったんじゃないかな？

美希《みき》ちゃん、さっき言《い》ってたよね？ **四陵線《しりょうせん》は、別名《べつめい》『死霊線《しりょうせん》』と呼《よ》ばれる、恐怖《きょうふ》の心霊《しんれい》鉄道《てつどう》だったって**」

戦慄《せんりつ》する一同《いちどう》。そのとき、真実《しんじつ》が口《くち》を開《ひら》いた。

「これは、ただのトリックさ。乗客《じょうきゃく》たちは、列車《れっしゃ》を飛《と》び降《お》りたわけでも、突《つ》き落《お》とされたわけでも、死霊《しりょう》に連《つ》れていかれたわけでもない。このゲームの主催者《しゅさいしゃ》が、何《なん》らかのトリックを使《つか》って、彼《かれ》らを消《け》したんだ」

「そのとおりです！　彼《かれ》らには、消《き》えてもらったのであります。このミステリートレインツアーは、答《こた》えを間違《まちが》えれば、即脱落《そくだつらく》、消《け》されるルールになっているのであります。

……当然《とうぜん》でしょう？　これは、1億円《おくえん》をかけた究極《きゅうきょく》のデスゲームなのですから――」

モニター画面《がめん》に、突如《とつじょ》、現《あらわ》れたミステリー男爵《だんしゃく》は、一同《いちどう》にこう告《つ》げてきた。

「さきほどのクイズは、ほんのウォーミングアップ。本当《ほんとう》の問題《もんだい》は、ここからであります。ミステリーオープン！」

ミステリー男爵《だんしゃく》の声《こえ》が響《ひび》く。

「彼《かれ》らが、どこに、どうやって消《き》えたのか、それを答《こた》えていただきましょう。みなさんのうち1チームでも正解《せいかい》できたら、全《ぜん》チームが次《つぎ》の謎解《なぞと》きに進《すす》めます。た

だし全《ぜん》チームが間違《まちが》えた場合《ばあい》、ミステリートレインツアーはここで終了《しゅうりょう》であります。ククッ。それでは、謎解《なぞと》きタイム、スタートです！」

一同《いちどう》、言葉《ことば》を失《うしな》う。そんななか、真実《しんじつ》は眼鏡《めがね》の奥《おく》の目《め》をキラリと光《ひか》らせた。

「おもしろいね。その挑戦《ちょうせん》、受《う》けて立《た》とうじゃないか」

真実《しんじつ》は、最後尾《さいこうび》の列車《れっしゃ》の車内《しゃない》を調《しら》べはじめた。

そして、薄紫色《うすむらさきいろ》のカーペットが敷《し》かれた床《ゆか》に、濡《ぬ》れた跡《あと》を見《み》つける。

「どうやら、これは足跡《あしあと》のようだな」

真実《しんじつ》は、眼鏡《めがね》をクイッと上《あ》げると、ハマセンに向《む》き直《なお》った。

「浜田先生《はまだせんせい》、1つ《ひと》、確《たし》かめたいことがあります。クイズの問題《もんだい》が出《だ》されたあと、先生《せんせい》は、いったん最後尾《さいこうび》の車両《しゃりょう》に向《む》かったと言《い》いましたよね？　足《あし》を踏《ふ》み入《い》れたのは、最後尾《さいこうび》の手前《てまえ》の車両《しゃりょう》までで、最後尾《さいこうび》の車両《しゃりょう》には入《はい》らなかったんですよね？」

「ああ、そうさ。さっきも言《い》ったとおりだ」

「よくわかりました。ありがとうございます」

「えっ、真実《しんじつ》くん、乗客《じょうきゃく》が消《き》えたナゾがもうわかったの!?」

たずねてきた健太《けんた》に、真実《しんじつ》は言《い》った。

「この足跡《あしあと》に、ある液体《えきたい》をかけて、色《いろ》が変《か》われば、はっきりするよ」

「ある液体《えきたい》？」

真実《しんじつ》は、にっこり笑《わら》って、食堂車《しょくどうしゃ》の食料庫《しょくりょうこ》から、あるものを借《か》りてきた。

この濡《ぬ》れた足跡《あしあと》にかける、その「ある液体《えきたい》」とは、いったい何《なん》だろうか？

アルコール
お茶《ちゃ》
レモン汁《じる》

解《かい》決《けつ》編《へん》

「ぼくが食堂車《しょくどうしゃ》のキッチンから借《か》りてきたのは、これさ」

真実《しんじつ》が手《て》にしていたのは、レモンだった。真実《しんじつ》はそれを切《き》り、絞《しぼ》って汁《しる》を濡《ぬ》れた足跡《あしあと》にかける。

すると、足跡《あしあと》は赤《あか》い色《いろ》に変《か》わり、薄紫色《うすむらさきいろ》のカーペットの上《うえ》に浮《う》かび上《あ》がった。

「足跡《あしあと》が赤《あか》く変《か》わった！　あ、これってもしかして……」

言《い》いかけた健太《けんた》の横《よこ》で、美希《みき》が叫《さけ》んだ。

「**わかった！『びっくり冷《ひ》やし中華《ちゅうか》』よ！**」

食堂車《しょくどうしゃ》での出来事《できごと》を、美希《みき》は思《おも》い出《だ》したのである。

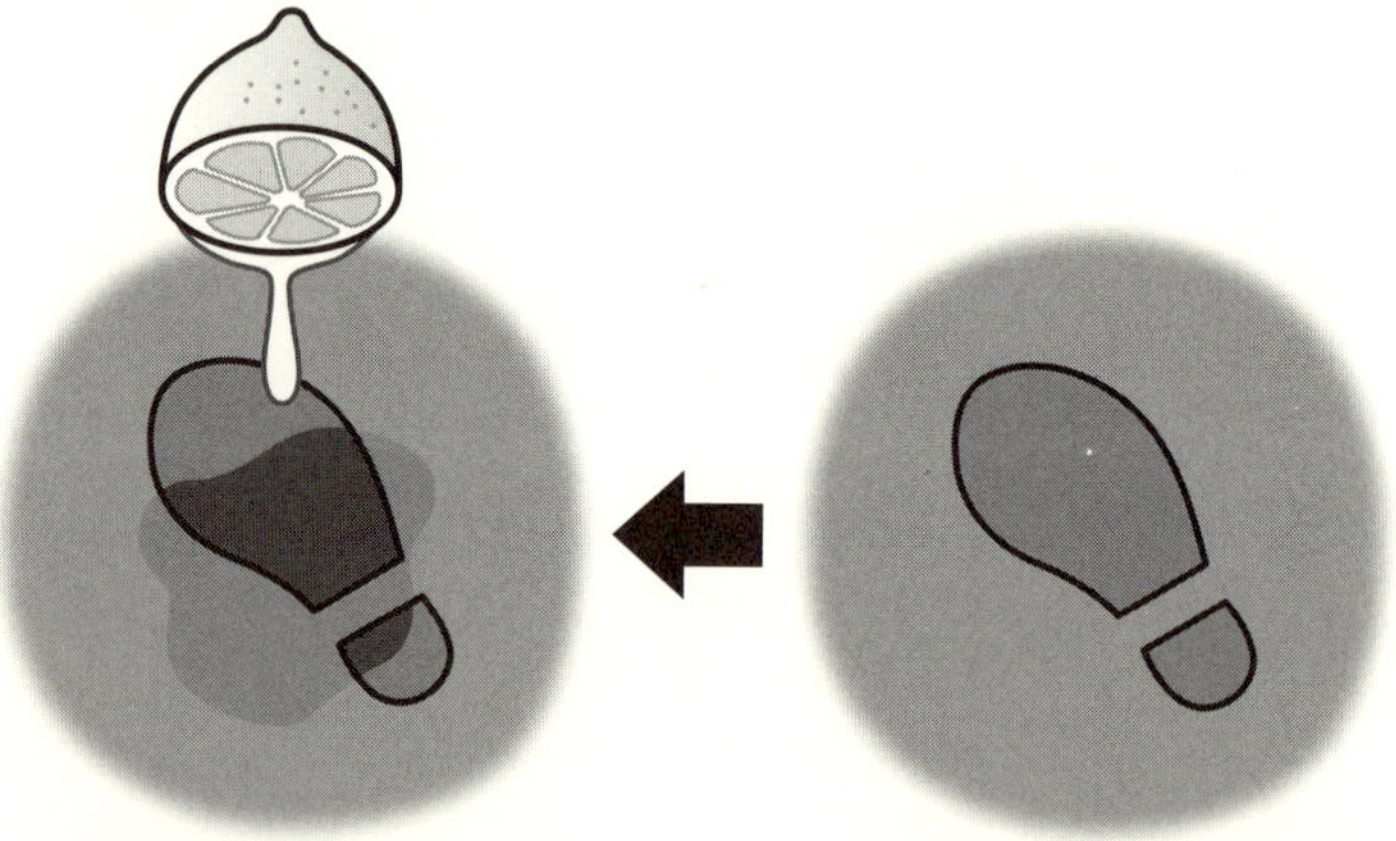

紫《むらさき》キャベツの煮汁《にじる》で濡《ぬ》れた床《ゆか》

酸性《さんせい》のレモン汁《じる》をかけると煮汁《にじる》の色《いろ》が紫《むらさき》から赤《あか》に変《か》わる

「この足跡《あしあと》は、紫《むらさき》キャベツの煮汁《にじる》が足《あし》にかかった、浜田先生《はまだせんせい》の足跡《あしあと》だわ！　カーペットと同《おな》じ紫色《むらさきいろ》だから、濡《ぬ》れたようにしか見《み》えなかったけど、酸性《さんせい》のレモン汁《じる》をかけたことで、紫《むらさき》キャベツの煮汁《にじる》が反応《はんのう》し、赤《あか》に変《か》わったのよ！」

「そのとおりだよ、美希《みき》さん」

真実《しんじつ》がうなずく。すると、凛《りん》が、ウィンクしながら言《い》った。

「そちらの浜田先生《はまだせんせい》がキッチンでしくじったから、謎《なぞ》が解《と》けたというわけか。真実《しんじつ》くん、ラッキーだったね」

そんななか、ハマセンだけは、けげんな表情《ひょうじょう》を浮《う》かべている。

「……ふむ。まあ、この足跡《あしあと》がオレのものだということはわかった。だが、それと消《き》えた乗客《じょうきゃく》たちと、どういう関係《かんけい》があるんだ？　まさか、謎野《なぞの》……オレが犯人《はんにん》だとか言《い》い出《だ》すんじゃないだろうな？」

「いいえ、違《ちが》いますよ。先生《せんせい》は、さっき言《い》いましたよね？　自分《じぶん》が足《あし》を踏《ふ》み入《い》れたのは、最後尾《さいこうび》の手前《てまえ》までで、最後尾《さいこうび》の車両《しゃりょう》には入《はい》らなかった、と。だとしたら、先生《せんせい》の足跡《あしあと》が、最後尾《さいこうび》のこの車両《しゃりょう》についているのは、おかしいと思《おも》いませんか？」

ハマセンは、ハッとして、「たしかに、そのとおりだな」とつぶやく。

「つまり、浜田先生《はまだせんせい》が最初《さいしょ》ここに来《き》たとき、この車両《しゃりょう》は、最後尾《さいこうび》の車両《しゃりょう》ではなかったんです。そのときは、この車両《しゃりょう》にはうしろにもう1両《りょう》、別《べつ》の客車《きゃくしゃ》が連結《れんけつ》されていたんですよ」

「つまり、客車《きゃくしゃ》は7両《りょう》あったってことか!?」

「はい。7両目《りょうめ》の客車《きゃくしゃ》が連結《れんけつ》されたのは、おそらく2度目《どめ》のスイッチバックで停車《ていしゃ》したときです。事前《じぜん》に乗客全員《じょうきゃくぜんいん》を列車《れっしゃ》の前方《ぜんぽう》にある食堂車《しょくどうしゃ》に集《あつ》めたのは、客車《きゃくしゃ》が1両《りょう》、余分《よぶん》に連結《れんけつ》されたことを乗客《じょうきゃく》たちに気《き》づかせないためだった――」

「つまり、『×』を選《えら》んだ乗客《じょうきゃく》たちは、連結《れんけつ》された7両目《りょうめ》の客車《きゃくしゃ》を最後尾《さいこうび》と思《おも》い込《こ》み、そこに足《あし》を踏《ふ》み入《い》れちゃった……ってこと?」

健太《けんた》が念《ねん》を押《お》すと、真実《しんじつ》はうなずく。

「そういうことさ。そのあと、7両目《りょうめ》の客車《きゃくしゃ》は切《き》り離《はな》され、乗客《じょうきゃく》たちは、車両《しゃりょう》ごと消《き》えてしまった――これがナゾのすべてさ」

「なるほど。そういうことだったのか。さすがは真実《しんじつ》くんだぁ〜!」

健太《けんた》は感心《かんしん》した。

「でも、列車《れっしゃ》からいきなり車両《しゃりょう》を1両《りょう》だけ切《き》り離《はな》すなんて……そんなこと、できるですかね？」

隼《はやぶさ》が、疑問《ぎもん》を口《くち》にする。真実《しんじつ》は、隼《はやぶさ》を見《み》つめて言《い》った。

「正解発表《せいかいはっぴょう》のとき、列車《れっしゃ》は一時停《いちじと》まったよね。走《はし》っている最中《さいちゅう》に客車《きゃくしゃ》を切《き》り離《はな》すと、列車全《れっしゃぜん》体《たい》に非常《ひじょう》ブレーキがかかってしまう。だけど、停車《ていしゃ》した状態《じょうたい》ならば、切《き》り離《はな》すことは可能《かのう》なはずだ」

隼《はやぶさ》は一瞬《いっしゅん》、悔《くや》しそうな顔《かお》になる。だが、すぐ笑顔《えがお》に戻《もど》り、うなずいた。

「なるほど、真実《しんじつ》くんは鉄道《てつどう》にも詳《くわ》しいんですね」

「くぅぅ……そうだったのかぁ！　客車《きゃくしゃ》が切《き》り離《はな》された瞬間《しゅんかん》を見《み》たかったなぁ！」

アレクサンドルは、カメラを持《も》つ手《て》をブルブルと震《ふる》わせる。

そのとき、突然《とつぜん》、ファンファーレが鳴《な》った。

「大正解《だいせいかい》！　謎野真実《なぞのしんじつ》くんのチームがクイズに正解《せいかい》したので、ここにいる全《ぜん》チームが次《つぎ》のステージに進《すす》めるのであります。なお、複数《ふくすう》のチームが勝《か》ち抜《ぬ》いた場合《ばあい》、

1億円《おくえん》は、最後《さいご》まで残《のこ》ったチームで山分《やまわ》けとなります。
ミッション終了《しゅうりょう》までに全員《ぜんいん》が脱落《だつらく》したら、
1億円《おくえん》の獲得者《かくとくしゃ》は『なし』となります」

「よし！　1億円《おくえん》のチャンスは、まだあるぞ！」

参加者《さんかしゃ》たちは、勝《か》ち残《のこ》れたことを喜《よろこ》び、再《ふたた》び1億円《おくえん》の争奪戦《そうだつせん》に向《む》けて、闘志《とうし》をみなぎらせる。しかし、健太《けんた》は、そんな気持《きも》ちにはなれなかった。

「切《き》り離《はな》された車両《しゃりょう》の人《ひと》たちは、どうなっちゃったんだろう？　もしもこの先《さき》、ぼくたちが脱落《だつらく》したら……？　この雪山《ゆきやま》に取《と》り残《のこ》される？　まさか、そんなひどいことはしないよね？」

このミステリートレインツアーに、得体《えたい》のしれない不気味《ぶきみ》な何《なに》かを感《かん》じ、健太《けんた》は背筋《せすじ》にゾクリと寒気《さむけ》が走《はし》るのだった。

I

SCIENCE TRICK DATA FILE

科学《かがく》トリック データファイル

鉄道《てつどう》が急《きゅう》な坂《さか》を上《のぼ》る工夫《くふう》

鉄道《てつどう》は車輪《しゃりん》とレールにより、摩擦《まさつ》の少《すく》ない状態《じょうたい》で走《はし》ることができます。ただし急《きゅう》な坂道《さかみち》は得意《とくい》ではなく、様々《さまざま》な工夫《くふう》がこらされてきました。スイッチバック（P40参照《さんしょう》）は坂道《さかみち》を上《のぼ》った列車《れっしゃ》が信号所《しんごうじょ》で停止《ていし》するとポイントが切《き》り替《か》わり、次《つぎ》はバックしながらその先《さき》の坂道《さかみち》を上《のぼ》ることを繰《く》り返《かえ》し、急《きゅう》な坂《さか》を少《すこ》しずつ上《のぼ》ります。スイッチバックは長《なが》いトンネルを掘《ほ》る技術《ぎじゅつ》のない時代《じだい》に主《おも》につくられており、現在《げんざい》ではトンネルによって、急勾配《きゅうこうばい》を上《のぼ》らなくてすむよう工夫《くふう》されています。

ほかにもあるこんな工夫《くふう》

ループ線《せん》

山《やま》をぐるぐる回《まわ》ることで距離《きょり》を延《の》ばし、坂《さか》の勾配《こうばい》をゆるくした路線《ろせん》

アプト式《しき》

レールの間《あいだ》にのこぎりのような歯《は》のついた特殊《とくしゅ》レールを2～3本《ぼん》設《もう》け、列車側《れっしゃがわ》にとりつけた歯車《はぐるま》とかみあわせて走《はし》る方式《ほうしき》。日本《にほん》には1カ所《しょ》、大井川鐵道井川《おおいがわてつどういかわ》線《せん》にしかない

死《し》の導《どう》火《か》線《せん》

ミステリートレイン2

健太《けんた》たちを乗《の》せた列車《れっしゃ》が、一面《いちめん》の冬景色《ふゆげしき》の中《なか》、山《やま》の奥《おく》へ奥《おく》へと、走《はし》り続《つづ》けている。ファーストステージが終《お》わって、12組《くみ》いた参加《さんか》チームは、6組《くみ》になっていた。

真実《しんじつ》たち、凛《りん》たち、ハマセンたち、隼《はやぶさ》たち、IT《アイティー》起業家《きぎょうか》たち、大学《だいがく》のクイズ研究会《けんきゅうかい》の計《けい》6チームだ。

部屋《へや》の中《なか》で健太《けんた》は、窓《まど》の外《そと》をぼんやりと見《み》つめている。

「健太《けんた》くん、だいじょうぶだって。……これは、あくまでも謎解《なぞと》き企画《きかく》なんだし、ミステリー男爵《だんしゃく》も、参加者《さんかしゃ》が危険《きけん》になるようなことするわけないって!」

美希《みき》は、健太《けんた》の沈《しず》んだ顔《かお》を見《み》て言《い》った。つきあいの長《なが》い美希《みき》は、健太《けんた》が何《なに》を考《かんが》えているのかがわかったのだ。

だが、そう言《い》った美希《みき》も、この先《さき》いったい何《なに》が待《ま》ち受《う》けているのか、まったく心配《しんぱい》がないかといえばうそになる。

そんな2人《ふたり》のそばで、真実《しんじつ》はじっと何《なに》かを考《かんが》えるように、座席《ざせき》に座《すわ》って目《め》をつぶっていた。

ほかの参加者《さんかしゃ》たちのあいだにも、不安《ふあん》が広《ひろ》がっていた。IT《アイティー》起業家《きぎょうか》の男性《だんせい》と一緒《いっしょ》に参加《さんか》しているスタッフが、たまらず声《こえ》をあげた。

「列車《れっしゃ》の旅《たび》を楽《たの》しめると思《おも》っていたのに、こんな危険《きけん》な目《め》にあわせるなんてあんまりじゃないか。いったいどういうことなんだ！　説明《せつめい》してくれよ」

スタッフは、どこにいるかわからないミステリー男爵《だんしゃく》に向《む》かって必死《ひっし》に話《はな》しかけた。しかし、ミステリー男爵《だんしゃく》からの返事《へんじ》は、いっさいなかった……。

健太《けんた》は不安《ふあん》な気持《きも》ちをまぎらわせようと、部屋《へや》を出《で》てうろうろしているうちに、車両《しゃりょう》の連《れん》結部《けつぶ》へとやってきた。

「ああ……どんなに逃《に》げたくても、この列車《れっしゃ》は目的地《もくてきち》に着《つ》くまできっと止《と》まらない……」

「止《と》まらないからいいのです！」

「え？」

健太《けんた》が振《ふ》り返《かえ》ると、制帽《せいぼう》をかぶった隼《はやぶさ》がニッコリと笑顔《えがお》を向《む》けていた。

「列車《れっしゃ》は専用《せんよう》の軌道《きどう》を走《はし》ります。だから自動車《じどうしゃ》と違《ちが》って渋《じゅう》滞《たい》がありません。四陵線《しりょうせん》には今《いま》この列車《れっしゃ》しかいないので、ほかの列車《れっしゃ》の影響《えいきょう》もなく、ちゃんとダイヤどおりに走《はし》るです。なので座席《ざせき》に座《すわ》って、心地《ここち》よい揺《ゆ》れに身《み》をまかせていれば、必《かなら》ず時間通《じかんどお》りに目的地《もくてきち》へと着《つ》くです！　そこまでは、列車《れっしゃ》の旅《たび》を楽《たの》しむべきです」

「……考《かんが》え方《かた》によっちゃ、そうだね」

苦笑《にがわら》いしながらも健太《けんた》は、隼《はやぶさ》の笑顔《えがお》に少《すこ》しだけホッとしていた。

隼《はやぶさ》は、手《て》に持《も》っていたスマホに目《め》を落《お》とした。

「そういえば、今走《いまはし》っているあたりって、戦国時代《せんごくじだい》に合戦《かっせん》があった場所《ばしょ》なのですよ」

「ああ、たしか美希《みき》ちゃんが、そんなことを言《い》っていたような……」

「このあたりを治《おさ》めていた小《ちい》さな国《くに》が、あるとき大国《たいこく》に攻《せ》め込《こ》まれて、一方的《いっぽうてき》に滅《ほろ》ぼされて

しまったです。**だからこのあたりは戦《いくさ》に敗《やぶ》れて、胴《どう》から斬《き》られた上半身《じょうはんしん》だけの武士《ぶし》の亡霊《ぼうれい》の目撃談《もくげきだん》がたくさんあるのです**」

「……え、上半身《じょうはんしん》だけの武士《ぶし》？　怖《こわ》いけど、ちょっと気《き》になるような……」

2人《ふたり》が通路《つうろ》を歩《ある》いていると、列車《れっしゃ》がトンネルに入《はい》って、車内《しゃない》が突然薄暗《とつぜんうすぐら》くなった。

健太《けんた》はふと人《ひと》の気配《けはい》を感《かん》じて、窓《まど》の外《そと》に目《め》を向《む》ける。

「ヒッッ!?」

驚《おどろ》きのあまり、健太《けんた》は全身《ぜんしん》がビクンッとひきつり、声《こえ》が裏返《うらがえ》った。

窓《まど》の外《そと》に青《あお》ざめた武士《ぶし》が、頭《あたま》から血《ち》を流《なが》して浮《う》かんでいるのだ！

「**出《で》たーっ!!!**」

健太《けんた》と隼《はやぶさ》は、ともに大《おお》きな悲鳴《ひめい》をあげた。

上半身《じょうはんしん》だけの武士《ぶし》は、どこかカクカクと小刻《こきざ》みに震《ふる》えながら、高《たか》く構《かま》えた刀《かたな》を一気《いっき》に振《ふ》り下《お》ろしてくる！

「**や、やめてくれーっ!!**」

健太《けんた》は叫《さけ》んでうしろに下《さ》がろうとしたが足《あし》がもつれ、ドシンとしりもちをついた。

(あぁ斬《き》られるっ! ぼくはもう……終《お》わりだ!

……アレ、ぜんぜん頭《あたま》に刀《かたな》がささってこないぞ!?)

健太《けんた》が恐《おそ》るおそる目《め》を開《あ》けてみると、窓《まど》の外《そと》には雪《ゆき》が降《ふ》るなまり色《いろ》の空《そら》が広《ひろ》がっていた。

(……いつの間《ま》にか、列車《れっしゃ》がトンネルを抜《ぬ》けたんだ。あ、幽霊《ゆうれい》もいないぞ……)

「ホントだって! ぼくたち見《み》たんだよ。血《ち》まみれの武士《ぶし》が窓《まど》の外《そと》にいたんだ」

健太《けんた》は隼《はやぶさ》と一緒《いっしょ》に部屋《へや》に戻《もど》ってきて、真実《しんじつ》と美希《みき》に先《さき》ほど起《お》きたことを報告《ほうこく》していた。その話《はなし》を聞《き》いた真実《しんじつ》は落《お》ち着《つ》いたようすで、眼鏡《めがね》をクイッと上《あ》げた。

「……おそらく、それはパラパラ漫画《まんが》の技法《ぎほう》だろうね」

「え、パラパラ漫画《まんが》? あの教科書《きょうかしょ》のすみに描《か》いたりする、あれのこと?」

窓《まど》に映《うつ》る落《お》ち武者《むしゃ》のトリック

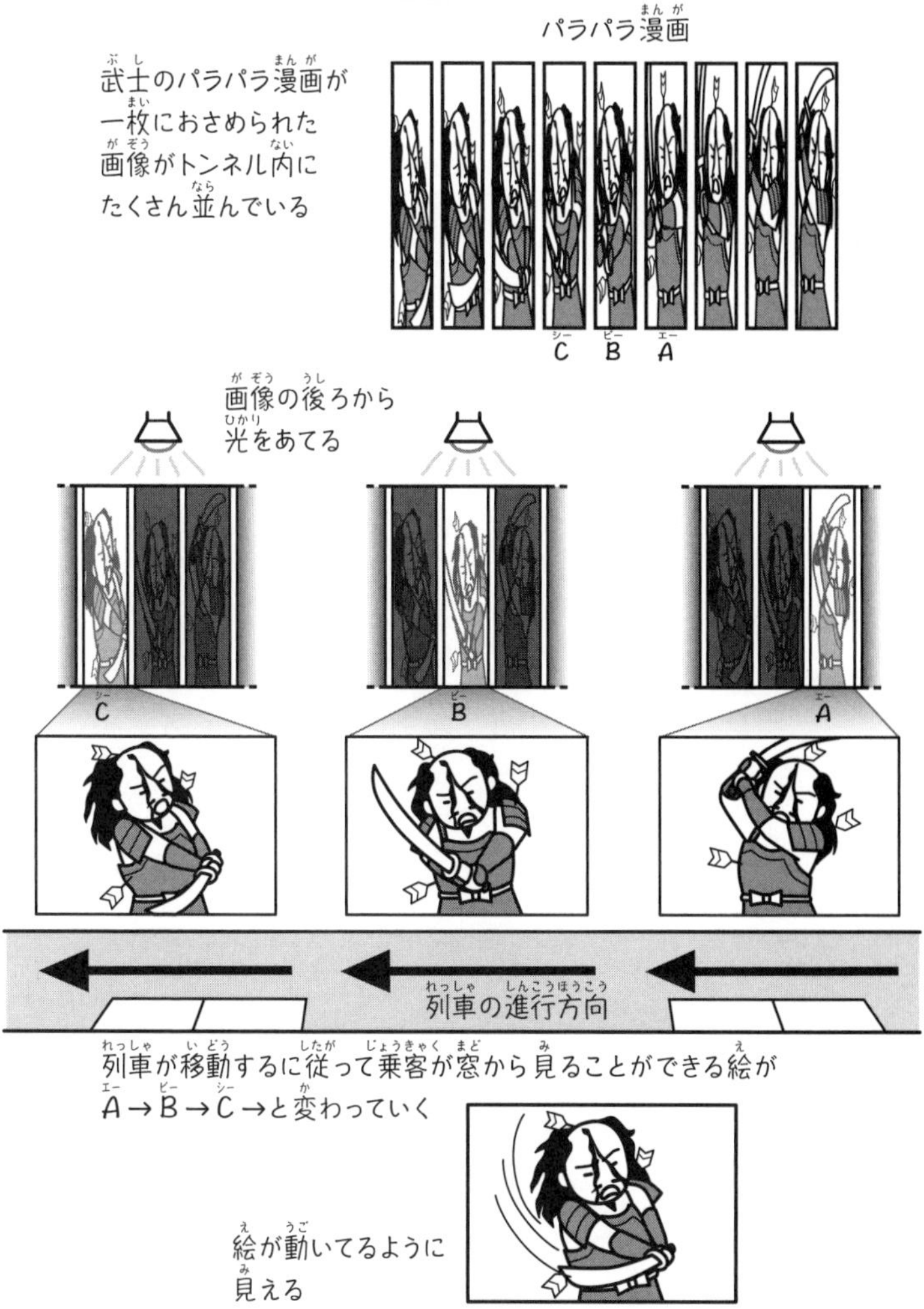
パラパラ漫画《まんが》
武士《ぶし》のパラパラ漫画《まんが》が一枚《まい》におさめられた画像《がぞう》がトンネル内《ない》にたくさん並《なら》んでいる
C《シー》 B《ビー》 A《エー》
画像《がぞう》の後《うし》ろから光《ひかり》をあてる
C《シー》
B《ビー》
A《エー》
列車《れっしゃ》の進行方向《しんこうほうこう》
列車《れっしゃ》が移動《いどう》するに従《したが》って乗客《じょうきゃく》が窓《まど》から見《み》ることができる絵《え》がA《エー》→B《ビー》→C《シー》→と変《か》わっていく
絵《え》が動《うご》いてるように見《み》える

「うん。トンネルの壁《かべ》に、パラパラ漫画《まんが》のように武士《ぶし》の姿《すがた》が1コマ《ひと》1コマ《ひと》描《か》かれた画像《がぞう》がたくさん置《お》かれていたんだよ。列車《れっしゃ》が動《うご》くと、武士《ぶし》の絵《え》がまるでパラパラ漫画《まんが》をめくるように次々《つぎつぎ》と見《み》えるので、車内《しゃない》からは武士《ぶし》が動《うご》いているように見《み》えるというしくみさ。トンネルを抜《ぬ》けたら武士《ぶし》の亡霊《ぼうれい》が見《み》えなくなったのが、その証拠《しょうこ》だよ」

「……そういえば、あのカクカクした動《うご》き、パラパラ漫画《まんが》のようだったよ！」

健太《けんた》は、真実《しんじつ》の言葉《ことば》にだんだんと恐怖《きょうふ》が薄《うす》らいでいくのを感《かん》じた。

「……そうですかねぇ……ボクには本物《ほんもの》の幽霊《ゆうれい》に見《み》えたですけどねぇ」

隼《はやぶさ》は、どうも納得《なっとく》がいかないようすで、家族《かぞく》が待《ま》つ部屋《へや》へと戻《もど》っていった。

「悪趣味《あくしゅみ》なしかけね。ミステリー男爵《だんしゃく》っていったい何者《なにもの》？　さっきのスイッチバックのトリックといい、こんな手《て》の込《こ》んだ、大《おお》きなしかけをしてくるなんて……」

美希《みき》は、不安《ふあん》そうにつぶやいた。すると突然《とつぜん》、

「それでは、謎解《なぞと》きタイム、スタートです！」

部屋《へや》の外《そと》から、ミステリー男爵《だんしゃく》の声《こえ》がした。

美希《みき》や、健太《けんた》と真実《しんじつ》もハッとして振《ふ》り向《む》く。そこにいたのは凜《りん》、キリコ、アレクサンドルだった。

「驚《おどろ》かせたかしら？　ごめんなさい、アタシは声帯模写《せいたいもしゃ》が得意《とくい》なのでオホホホ」

キリコは口元《くちもと》に手《て》をやって高《たか》らかに笑《わら》う。

「真実《しんじつ》くん、ミステリー男爵《だんしゃく》は、かなり油断《ゆだん》ならない人物《じんぶつ》みたいだね」

そう声《こえ》をかけてきた凜《りん》に、真実《しんじつ》も答《こた》える。

「確《たし》かにそうだね、凜《りん》くん。本当《ほんとう》にあのまま脱落者《だつらくしゃ》を雪山《ゆきやま》に置《お》き去《ざ》りにしたのだとしたら、すごく冷徹《れいてつ》で危険《きけん》な人物《じんぶつ》だね……」

2人《ふたり》の話《はなし》を聞《き》いていた美希《みき》の心《こころ》の中《なか》に、ある考《かんが》えが浮《う》かんでくる……。

（こんな大《おお》きなしかけができるのは……。

ミステリー男爵《だんしゃく》の正体《しょうたい》はもしかしてデビルホームズ!?

凜《りん》くんのお父《とう》さんは、デビルホームズのリーダー……。疑《うたが》いたくはないけど、もしかして凜《りん》くんがデビルホームズに協力《きょうりょく》しているな

んてこと、あるかな？）

そのとき突然《とつぜん》、車内《しゃない》アナウンスが流《なが》れた。

「参加者《さんかしゃ》のみなさまは、貴重品《きちょうひん》と上着《うわぎ》を持《も》って、食堂車《しょくどうしゃ》にお集《あつ》まりください。なお、来《こ》られない方《かた》は棄権《きけん》とみなします」

真実《しんじつ》と美希《みき》、健太《けんた》は顔《かお》を見合《みあ》わせる。

「……よし、食堂車《しょくどうしゃ》に行《い》こう」

真実《しんじつ》はそう言《い》うと、健太《けんた》、美希《みき》と一緒《いっしょ》に車両《しゃりょう》を移動《いどう》した。

食堂車《しょくどうしゃ》の中《なか》には、スペースがつくられていた。そこに残《のこ》る参加者《さんかしゃ》6チーム、18人《にん》が集《あつ》まった。その瞬間《しゅんかん》、キキーッというブレーキ音《おん》とともに突然《とつぜん》列車《れっしゃ》が停《と》まった。

ガゴンッ！

という鈍《にぶ》い音《おと》が響《ひび》き、食堂車《しょくどうしゃ》とうしろの客車《きゃくしゃ》をつなぐ連結部《れんけつぶ》が外《はず》れるのが見《み》えた。

なにが起《お》きたかわからず、顔《かお》を見合《みあ》わせる参加者《さんかしゃ》たち。しばらくして、1人《ひとり》の参加者《さんかしゃ》が声《こえ》をあげた。

「おい！　何《なに》をやっているんだ！　これじゃ部屋《へや》に戻《もど》れないじゃないか」

だが反応《はんのう》はなく、1分《ぷん》ほどして再《ふたた》び列車《れっしゃ》は動《うご》き出《だ》した。そして突然《とつぜん》、

ジリリリリーンッ!!

と車両全体《しゃりょうぜんたい》にけたたましい警報音《けいほうおん》が鳴《な》り響《ひび》く。

車両《しゃりょう》の切《き》り離《はな》しに気《き》を取《と》られていた参加者《さんかしゃ》がいっせいに食堂車《しょくどうしゃ》を見回《みまわ》すと、先《さき》にあるオープンキッチン付近《ふきん》から、火《ひ》と煙《けむり》があがっていた。

大《おお》きなテーブルキャンドルが倒《たお》れ、カーペットやカウンターの壁《かべ》などに引火《いんか》して、一気《いっき》に燃《も》え広《ひろ》がったのだ。火《ひ》はいまにも食堂車《しょくどうしゃ》の天井《てんじょう》を焦《こ》がすほどの勢《いきお》いだ。オープンキッチンの先《さき》には、食料庫《しょくりょうこ》と前方《ぜんぽう》のラウンジカーにつながる通路《つうろ》があるが、激《はげ》しい火《ひ》と熱《ねつ》が行《ゆ》く手《て》をさえぎっている……。

「おい、危険《きけん》だから、もっと下《さ》がっていろ！」

ハマセンが、真実《しんじつ》や凛《りん》たちをかき分《わ》け、火《ひ》に近《ちか》づいた。

「消火器《しょうかき》はどこだ？　オレが消《け》してやるっ!!」

「先生《せんせい》、もうすぐ火《ひ》が天井《てんじょう》に達《たっ》しそうです……天井《てんじょう》にとどくほどに火《ひ》が燃《も》え広《ひろ》がると、一酸《いっさん》化炭素《かたんそ》などの有毒《ゆうどく》ガスに気《き》をつけねばなりません。とても危険《きけん》な状況《じょうきょう》です」

真実《しんじつ》は、ハマセンに告《つ》げた。

健太《けんた》は、ふと隼《はやぶさ》のことが気《き》になった。

(隼《はやぶさ》くんはだいじょうぶかな!?)

健太《けんた》が周囲《しゅうい》を見渡《みわた》すと、隼《はやぶさ》は気分《きぶん》が悪《わる》くなったのか、具合悪《ぐあいわる》そうに食堂車内《しょくどうしゃない》のトイレに入《はい》ろうとしていた。

そのとき、食堂車《しょくどうしゃ》の壁《かべ》に設置《せっち》された大型《おおがた》ディスプレーが突然点灯《とつぜんてんとう》し、ミステリー男爵《だんしゃく》の映《えい》像《ぞう》が流《なが》れた。参加者《さんかしゃ》の1人《ひとり》が叫《さけ》んだ。

「おい、こんなところにオレたちを集《あつ》めてどうする気《き》だ。早《はや》く火《ひ》を消《け》してくれ!!」

「みなさん、お静《しず》かに願《ねが》います。わたしが今《いま》から、みなさんが助《たす》かるために重要《じゅうよう》なことをお話《はな》ししますよ」

参加者《さんかしゃ》たちも、その言葉《ことば》に黙《だま》って、ディスプレーに目《め》を向《む》ける。

「この車両《しゃりょう》には消火器《しょうかき》は用意《ようい》しておりません。また、火《ひ》を消《け》すのに十分《じゅうぶん》な水《みず》も積《つ》んでいません。火《ひ》を消《け》すことができるのは、ズバリ、あなたたちの知恵《ちえ》だけでありります」

「え??」

健太《けんた》たちは、まったく言葉《ことば》の意味《いみ》がわからず、絶句《ぜっく》する。

ミステリー男爵《だんしゃく》は、人差《ひとさ》し指《ゆび》を立《た》てた。

「さぁて、ここでセカンドステージを始《はじ》めますよ。ミステリーオープン!」

車両《しゃりょう》に、場違《ばちが》いなミステリー男爵《だんしゃく》の明《あか》るい声《こえ》と、出題《しゅつだい》メロディーが鳴《な》り響《ひび》く。

「この食堂車《しょくどうしゃ》にあるものを使《つか》って、火災《かさい》を消《け》す方法《ほうほう》を答《こた》えなさい。また、無事《ぶじ》に火《ひ》を乗《の》り越《こ》えて、この車両《しゃりょう》の前《まえ》にあるラウンジカーに移動《いどう》できたチームも合格《ごうかく》といたします。どちらもできなかったチームは、そこで終《お》わりであります」

ミステリー男爵《だんしゃく》は、画面越《がめんご》しに参加者《さんかしゃ》たちを見渡《みわた》して、続《つづ》けた。

「みなさんに真剣《しんけん》に謎《なぞ》に取《と》り組《く》んでいただくために、食堂車《しょくどうしゃ》よりうしろの車両《しゃりょう》は切《き》り離《はな》しました。もし、どのチームも正解《せいかい》できなかった場合《ばあい》は、全員命《ぜんいんいのち》がありませんので、全員脱落《ぜんいんだつらく》ということになります。ククク ッ。みなさんの健闘《けんとう》を祈《いの》ります。それでは、謎解《なぞと》きタイム、スタートです!」

ミステリー男爵《だんしゃく》がぶきみな笑《わら》い声《ごえ》を響《ひび》かせると、ディスプレーの映像《えいぞう》がプツリと消《き》えた。

「こんなのやってられるか! ぼくらはもう棄権《きけん》する。だから列車《れっしゃ》から降《お》ろしてくれ!」

有名大学《ゆうめいだいがく》のクイズ研究会《けんきゅうかい》チームの男女《だんじょ》メンバーで参加《さんか》していた学生《がくせい》たちが怒《いか》りの声《こえ》をあげた。

「はいっ‼」

突然《とつぜん》、30代前半《だいぜんはん》の男性《だんせい》が手《て》をあげた。IT《アイティー》起業家《きぎょうか》で、今回《こんかい》、スタッフたちと旅《たび》に参加《さんか》していた男性《だんせい》だ。

「答《こた》えがわかったぞっ。消火器《しょうかき》のように白《しろ》い粉《こな》をかければ消《き》えるんだ。答《こた》えはズバリ、食堂《しょくどう》車《しゃ》にある、小麦粉《こむぎこ》だ！」

ブッブー!!

不正解《ふせいかい》のブザー音《おん》が車内《しゃない》に鳴《な》り響《ひび》く。

ディスプレーの電源《でんげん》が再《ふたた》びつき、ミステリー男爵《だんしゃく》が姿《すがた》を現《あらわ》す。

「**不正解《ふせいかい》です！　小麦粉《こむぎこ》は空気中《くうきちゅう》に舞《ま》ってしまうと、さらに粉塵爆発《ふんじんばくはつ》**（Ｐ１１４参照《さんしょう》）**を引《ひ》き起《お》こす可能性《かのうせい》があります。よって、あなたたちはここで脱落《だつらく》であります**」

ミステリー男爵《だんしゃく》が宣言《せんげん》すると、先《さき》ほど解答《かいとう》したＩＴ《アイティー》起業家《きぎょうか》の左右《さゆう》の手《て》が急《きゅう》にバチンッとひっついた。

「**なんだ、これ!?　両手《りょうて》のリストバンドがひっついたぞ。わ、あぁ、両足《りょうあし》も！**」

ＩＴ《アイティー》起業家《きぎょうか》の男性《だんせい》とスタッフたちは、両手《りょうて》、両足《りょうあし》がひっつき、バランスを崩《くず》して、バタンと倒《たお》れる。必死《ひっし》に動《うご》こうとするが、リストバンドは床《ゆか》にもひっつこうとして動《うご》けない。

ミステリー男爵《だんしゃく》は冷《つめ》たく言《い》い放《はな》つ。

「もう動《うご》けませんよ。そのリストバンドは強力《きょうりょく》な磁力《じりょく》を発《はっ》生《せい》するしくみになっていますからね」

「助《たす》けてくれ！　これじゃあ食堂車《しょくどうしゃ》に火《ひ》が広《ひろ》がったとき、逃《に》げられないじゃないか」

「負《ま》け犬《いぬ》はお黙《だま》りなさい。ほかの参加者《さんかしゃ》の謎解《なぞと》きのさまたげになるじゃありませんか。クククッ」

そのころ、凛《りん》のチームでは、凛《りん》とキリコが話《はな》していた。

「ねえ神宮寺《じんぐうじ》さん、『炎《ほのお》の呪術師《じゅじゅつし》』のキミなら火《ひ》の扱《あつか》いに慣《な》れてる。火《ひ》を消《け》すいい方法《ほうほう》はあるかい？」

「食堂車《しょくどうしゃ》にあるものを使《つか》うという条件《じょうけん》が面倒《めんどう》ね」

「窓《まど》を開《あ》けて、風《かぜ》の力《ちから》で消《け》すのはどうだい？」

「風《かぜ》が入《はい》ってきたらいっそう火《ひ》の勢《いきお》いが増《ま》すわ。酸素《さんそ》がより多《おお》く供給《きょうきゅう》されるからね。そうねえ……。逆《ぎゃく》に酸素《さんそ》を追《お》い出《だ》したり、温度《おんど》を下《さ》げたりするいい方法《ほうほう》があれば、火《ひ》を消《け》せるんだけど」

「そうか……。アレクサンドル、キミは何《なに》かいいアイデアはない？」

凛《りん》がアレクサンドルを見《み》ると、なぜかワナワナと体《からだ》を震《ふる》わせている。

「許《ゆる》せんっ……。クイズのために、こんな最高《さいこう》の車両《しゃりょう》に火《ひ》をつけるとは、鉄道好《てつどうず》きとしては絶対許《ぜったいゆる》せん!!　凛《りん》、火《ひ》を突破《とっぱ》するぞ！　ミステリー男爵《だんしゃく》を捕《つか》まえて、企画《きかく》を中止《ちゅうし》させるんだ!!」

アレクサンドルは、そう言《い》うと、すばやく車内《しゃない》を見回《みまわ》す。

すると、座席《ざせき》に備《そな》え付《つ》けられている１枚《まい》の毛布《もうふ》が目《め》に留《と》まった。

「よし、これを使《つか》うんだ！」

そう言《い》ってアレクサンドルは、頭《あたま》から毛布《もうふ》をすっぽりかぶってみせる。

「まさかアレクサンドル、この毛布《もうふ》だけで火《ひ》の中《なか》を突破《とっぱ》する気《き》かい？」

「ああ、凛《りん》。『水《みず》の闘神《とうしん》』と呼《よ》ばれるオレが水《みず》を使《つか》えないのは無念《むねん》だが、列車《れっしゃ》のこともオレは知《し》り尽《つ》くしている。2人《ふたり》とも、オレを信《しん》じてこの中《なか》に入《はい》ってくれ！　火《ひ》が燃《も》え広《ひろ》がらないうちなら、この毛布《もうふ》で前《まえ》の車両《しゃりょう》に行《い》けるはずだ」

毛布《もうふ》を頭《あたま》からかぶった3人《にん》は、煙《けむり》を吸《す》わないようにできるだけ頭《あたま》を下《さ》げ、アレクサンドルを先頭《せんとう》に、一気《いっき》に火《ひ》が燃《も》え盛《さか》る方向《ほうこう》に進《すす》む。

視線《しせん》の先《さき》に、ラウンジカーのドアが見《み》えた。

アレクサンドルはドアのノブに毛布《もうふ》で包《つつ》んだ手《て》をかけて、開《あ》ける！

凛《りん》とキリコも、続《つづ》いてラウンジカーに飛《と》び込《こ》んできた。ゼエゼエと肩《かた》で息《いき》をする。

「すごいよ！　アレクサンドル、キミの言《い》うとおりだった」

「ああ、鉄道《てつどう》の車内設備《しゃないせつび》は、火災《かさい》の延焼《えんしょう》を防《ふせ》ぐため、燃《も》えにくいものを使《つか》っているからな。だから本当《ほんとう》は、列車内《れっしゃない》であんなにすぐ火《ひ》が燃《も》え広《ひろ》がるはずがないんだ。全部《ぜんぶ》アイツのしわざさ……。クソッ、どこだミステリー男爵《だんしゃく》？　絶対捕《ぜったいつか》まえてやる！」

アレクサンドルはラウンジカーの中《なか》を見回《みまわ》したが、そこには誰《だれ》もいなかった。

「おい隼《はやぶさ》っ！　いつまでぐったりしてるんだ。オレらも突破《とっぱ》するぞ」

真実《しんじつ》たちの横《よこ》にいた隼《はやぶさ》の兄《あに》・暁《あかつき》が、イライラしながら隼《はやぶさ》に話《はな》しかける。隼《はやぶさ》はスマホに目《め》を落《お》としながら言《い》う。

「でも、あの人《ひと》たちが使《つか》っちゃって、毛布《もうふ》はもうないですよ」

「カーテンを外《はず》すんだよ。火災対策《かさいたいさく》で燃《も》えにくくなっているものは、毛布《もうふ》だけじゃないだろ」

「そうか、その手《て》があったですね！」

頭《あたま》からカーテンをかぶった隼《はやぶさ》、暁《あかつき》、父《ちち》の銀河《ぎんが》の3人《にん》は、キッチンの通路《つうろ》へとダッシュし、ラウンジカーへとかけこんでいった。そのとき、走《はし》っていた隼《はやぶさ》の肩《かた》が、キッチンわきに高《たか》く積《つ》み上《あ》げられていた段《だん》ボール箱《ばこ》に当《あ》たった。

倒《たお》れた箱《はこ》から、テーブルに置《お》くペーパーナプキンが大量《たいりょう》に床《ゆか》に散《ち》らばる。


ボオワッ！


火《ひ》が、散《ち》らばったペーパーナプキンに燃《も》え移《うつ》り、勢《いきお》いはますます強《つよ》くなった。

火《ひ》の勢《いきお》いが増《ま》したのを見《み》た健太《けんた》が叫《さけ》ぶ。

「このままだと食堂車全体《しょくどうしゃぜんたい》に燃《も》え広《ひろ》がっちゃうよ！　真実《しんじつ》くん、どうしよう」

すると、ずっと何《なに》かを考《かんが》えていたようすの真実《しんじつ》が、落《お》ち着《つ》いて言《い》った。

「ミステリー男爵《だんしゃく》は、どんなことがあっても謎解《なぞと》きゲームを続《つづ》けたいはずだ。それならば、火《ひ》を消《け》す方法《ほうほう》が、必《かなら》ずこの車両内《しゃりょうない》にちゃんと用意《ようい》されているはずだよ。それを使《つか》って火《ひ》を消《け》すことができれば、参加者全員《さんかしゃぜんいん》を安全《あんぜん》に次《つぎ》のステージに連《つ》れていくことができる」

「さすが真実《しんじつ》くん！」

健太《けんた》はうれしかった。真実《しんじつ》はちゃんとみんなの安全《あんぜん》のことも考《かんが》えているのだ。

「たしか、食堂車《しょくどうしゃ》の中《なか》に食料庫《しょくりょうこ》があった……あそこなら何《なに》か道具《どうぐ》があるんじゃない⁉」

美希《みき》が言《い》った。

「その可能性《かのうせい》は高《たか》いね」

「でも、あの火《ひ》の中《なか》を突破《とっぱ》して食料庫《しょくりょうこ》に行《い》くのはとても危険《きけん》だよ」

「だけど美希《みき》さん、火《ひ》を消《け》すための道具《どうぐ》を見《み》つけるにはそれしか方法《ほうほう》がない。隼《はやぶさ》くんチームみたいにカーテンをかぶれば、食料庫《しょくりょうこ》までは行《い》けるはずだ」

「よし、ぼくも一緒《いっしょ》に行《い》くよ！」

「健太《けんた》くん、これは非常《ひじょう》に危険《きけん》なミッションなんだよ」

渋《しぶ》る真実《しんじつ》に、健太《けんた》は声《こえ》を強《つよ》めた。

「だって、2人《ふたり》がかりのほうが食料庫《しょくりょうこ》を探《さぐ》るには早《はや》いじゃないか。だいじょうぶだよ、真実《しんじつ》くん！」

「……ありがとう、健太《けんた》くん」

真実《しんじつ》は、しっかりと健太《けんた》を見《み》て、うなずいた。

真実《しんじつ》と健太《けんた》は1枚《まい》のカーテンを一緒《いっしょ》にかぶり、互《たが》いに目《め》を合《あ》わせる。

「健太《けんた》くん、行《い》くよ？」

「うんっ！」

真実《しんじつ》と健太《けんた》は息《いき》を止《と》め、火《ひ》の燃《も》え盛《さか》るキッチンへと向《む》けて一気《いっき》に走《はし》り出《だ》す。

（あ、熱《あつ》い！　やばい、やけどしそうだ）

健太《けんた》は、ほおにヒリヒリするような熱《ねつ》を感《かん》じるが歯《は》をくいしばり、真実《しんじつ》と一緒《いっしょ》に食料庫《しょくりょうこ》

の前《まえ》までたどり着《つ》き、扉《とびら》を開《あ》けた。真実《しんじつ》が言《い》った。

「よかった。ここまではまだ火《ひ》が回《まわ》っていなかったね」


「あっ、あいつら、チームの仲間《なかま》を見捨《みす》てて逃《に》げやがったぞ！　なんてずるいやつらだ」

真実《しんじつ》たちの姿《すがた》を遠目《とおめ》に見《み》ていた、出版社社長《しゅっぱんしゃしゃちょう》の日陰《ひかげ》が、いまいましそうに声《こえ》をあげた。

「いいえ日陰《ひかげ》さん、あの子《こ》たちはそんな子《こ》じゃありませんよ。謎野《なぞの》にはきっと考《かんが》えがあるにちがいない。この状況《じょうきょう》からみんなを救《すく》ってくれるはずです！」

ハマセンは、真実《しんじつ》たちに太鼓判《たいこばん》を押《お》した。

「そうですよ。あの子《こ》たち、すごくいい目《め》をしてますもの。浜田先生《はまだせんせい》の教育《きょういく》のたまものなんでしょうね」

「いやぁ、そんな恐井先生《こわいせんせい》！　恐縮《きょうしゅく》です」と、ハマセンは照《て》れて、頭《あたま》をかいた。

食料庫《しょくりょうこ》の扉《とびら》を開《あ》けた健太《けんた》は、ずらりと並《なら》んでいる食材《しょくざい》を前《まえ》にして途方《とほう》に暮《く》れていた。

（……早《はや》く選《えら》ばなきゃ、火《ひ》がどんどん大《おお》きくなっちゃう。でも、火《ひ》を消《け》すのに、どれが役立《やくだ》つんだろ？）

健太《けんた》は、目《め》の前《まえ》にある季節《きせつ》はずれの大《おお》きなスイカを手《て》に持《も》ってみる。そして、燃《も》え盛《さか》る炎《ほのお》に、大《おお》きなスイカを投《な》げ入《い》れる姿《すがた》を想像《そうぞう》してみた。

「……ダメだっ、いくらみずみずしいスイカでも、火《ひ》を消《け》せるわけないや」

健太《けんた》の隣《となり》で、庫内《こない》を見回《みまわ》していた真実《しんじつ》が、口《くち》を開《ひら》く。

「……よし、ここにあるもので火《ひ》を消《け》せるよ」

「え？　ホント？」

「ああ、科学《かがく》で解《と》けないナゾはない」

健太《けんた》は、庫内《こない》を見回《みまわ》した。

（いったい、どれで……火《ひ》を消《け》せるんだろう？）

ヨーグルト
ペットボトルに入《はい》ったコーラ
大量《たいりょう》のワカメ

小麦粉
ヨーグルト
ヨーグルト
Col
Cola
Cola
Cola

火《ひ》が燃《も》える
条件《じょうけん》を
考《かんが》えてみよう

解《かい》決《けつ》編《へん》

「これを使《つか》えば、火《ひ》を消《け》せるはずだ」

真実《しんじつ》は棚《たな》に手《て》をのばし、コーラが入《はい》った1・5リットル容器《ようき》のペットボトルを取《と》った。

「え……こんな量《りょう》のコーラじゃ、あの火事《かじ》を消《け》すには少《すく》なすぎるよ。ホントに、火《ひ》が消《け》せるの!?」

「うん、詳《くわ》しい説明《せつめい》はあとでするよ。健太《けんた》くん、急《いそ》ごう!」

コーラの容器《ようき》を持《も》った真実《しんじつ》と健太《けんた》は、火元《ひもと》に向《む》き直《なお》った。

「わっ、さっきより、火《ひ》が強《つよ》くなってる!」

驚《おどろ》いている健太《けんた》に、真実《しんじつ》は声《こえ》をかける。

「今《いま》から方法《ほうほう》を説明《せつめい》するよ。まずペットボトルを持《も》って、キャップを開《あ》けるんだ」

健太《けんた》は真実《しんじつ》の言《い》うとおり、ボトルを手《て》にして、キャップを開《あ》けた。シュワシュワと炭酸《たんさん》の音《おと》がする。

「じゃあ気《き》をつけて、火《ひ》のほうに少《すこ》し近《ちか》づくよ」

真実《しんじつ》に言《い》われて、健太《けんた》は少《すこ》しずつ火元《ひもと》ににじり寄《よ》った。思《おも》わず熱《あつ》さに顔《かお》をしかめる。

「健太《けんた》くん、ボトルの飲《の》み口《くち》をしっかり親指《おやゆび》で押《お》さえて、火元《ひもと》に向《む》けるんだ。そしてぼくが合図《あいず》を出《だ》したら、飲《の》み口《くち》を指《ゆび》で押《お》さえたまま、思《おも》い切《き》り振《ふ》るんだ。いいね？」

「オッケー、わかったよ」と、スタンバイした健太《けんた》は、しっかりと火《ひ》を見《み》つめて返事《へんじ》した。

「よし、いくよ……ワン、ツー、スリー、振《ふ》るんだっ!!」

健太《けんた》は、真実《しんじつ》と一緒《いっしょ》にコーラの入《はい》ったペットボトルを思《おも》い切《き》り振《ふ》った。その瞬間《しゅんかん》、ペットボトルの中《なか》に大量《たいりょう》の気泡《きほう》が一気《いっき》に現《あらわ》れた。

ブッボワッシューーッ!!!

親指《おやゆび》とペットボトルの飲《の》み口《くち》のすきまから、ものすごい勢《いきお》いでコーラが噴《ふ》き出《だ》し、霧状《きりじょう》になって火《ひ》へと噴射《ふんしゃ》された!!

「コーラが噴《ふ》き出《だ》した！　まるで霧《きり》みたいだ！　これって優勝《ゆうしょう》したスポーツ選手《せんしゅ》とかが、シャンパンやビールでよくやるやつだ」

健太《けんた》は声《こえ》をあげた。

「そのとおり。さあ、もっとボトルを振《ふ》って、中身《なかみ》をできるだけ火《ひ》に向《む》かって霧状《きりじょう》に噴《ふ》き出《だ》させるんだ！」

真実《しんじつ》と健太《けんた》のボトルから噴《ふ》き出《だ》したコーラの霧《きり》が火《ひ》にかかると、火《ひ》はみるみるうちに勢《いきお》いを失《うし》なっていく。1本目《ぽんめ》のコーラの霧《きり》が弱《よわ》まると、真実《しんじつ》と健太《けんた》は2本目《ほんめ》のコーラを振《ふ》って再《ふたた》び火《ひ》に噴射《ふんしゃ》した。

火《ひ》がますます弱《よわ》くなったのを見《み》た真実《しんじつ》は、そこにカーテンを覆《おお》いかぶせて、完全《かんぜん》に火《ひ》を消《け》した。

「……す、すごい!! なんでこれだけのコーラであんなに大《おお》きな火《ひ》を消《け》せたの!?」

火《ひ》が消《き》えたのを見《み》て、真実《しんじつ》たちのところに駆《か》け寄《よ》ってきた美希《みき》が驚《おどろ》いてたずねた。

「コーラには炭酸《たんさん》ガス、つまり二酸化炭素《にさんかたんそ》が入《はい》っている。ペットボトルを振《ふ》るとその二酸化《にさんか》炭素《たんそ》が一気《いっき》にペットボトルの中《なか》に気泡《きほう》となって現《あらわ》れ、圧力《あつりょく》が上《あ》がり、コーラが霧状《きりじょう》になって勢《いきお》いよく噴《ふ》き出《だ》してくる。だから少《すく》ない量《りょう》のコーラでも、広《ひろ》い範囲《はんい》の炎《ほのお》にかけることができるんだ」

「たしかに、すごい勢《いきお》いだったね」と美希《みき》がうなずく。

「それに、霧状《きりじょう》の液体《えきたい》は火《ひ》の中《なか》ですぐ蒸発《じょうはつ》して熱《ねつ》を奪《うば》うし、蒸気《じょうき》になることで体積《たいせき》がぐっと大《おお》きくなり、ものが燃《も》えるのに必要《ひつよう》な酸素《さんそ》を押《お》し出《だ》して火《ひ》を弱《よわ》めるのと同時《どうじ》に、火災《かさい》で発生《はっせい》した燃《も》えるガスも薄《うす》めることができる。ただし、この方法《ほうほう》が使《つか》えない火災《かさい》もあるし、本来《ほんらい》は消火器《しょうかき》を使《つか》ったほうがいいんだけどね」

「炭酸飲料《たんさんいんりょう》でそんなことができるなんて……」

今《いま》まで、真実《しんじつ》たちを疑《うたが》いの目《め》で見《み》ていた日陰《ひかげ》も驚《おどろ》いている。

「どうです、あれがオレの自慢《じまん》の教《おし》え子《ご》たちです！」

ハマセンは、うれしそうに日陰《ひかげ》に言《い》った。

コーラで火《ひ》が消《き》えるしくみ

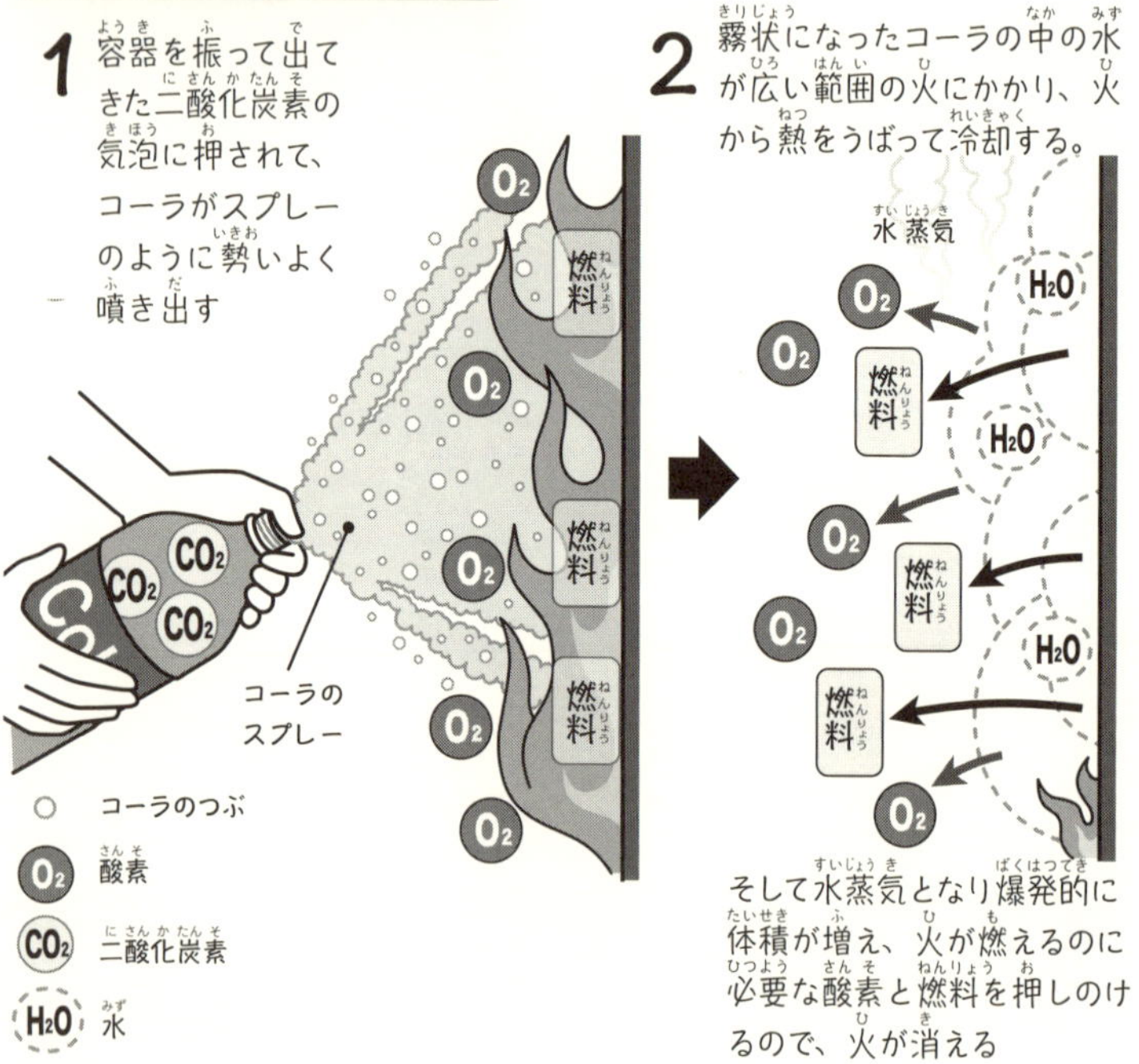
1 容器《ようき》を振《ふ》って出《で》てきた二酸化炭素《にさんかたんそ》の気泡《きほう》に押《お》されて、コーラがスプレーのように勢《いきお》いよく噴《ふ》き出《だ》す
O_2
燃料《ねんりょう》
CO_2
コーラのスプレー
コーラのつぶ
酸素《さんそ》
二酸化炭素《にさんかたんそ》
水《みず》
2 霧状《きりじょう》になったコーラの中《なか》の水《みず》が広《ひろ》い範囲《はんい》の火《ひ》にかかり、火《ひ》から熱《ねつ》をうばって冷却《れいきゃく》する。
水蒸気《すいじょうき》
H_2O
そして水蒸気《すいじょうき》となり爆発的《ばくはつてき》に体積《たいせき》が増《ふ》え、火《ひ》が燃《も》えるのに必要《ひつよう》な酸素《さんそ》と燃料《ねんりょう》を押《お》しのけるので、火《ひ》が消《き》える

コーラで消《き》えない火災《かさい》もあるので、消火器《しょうかき》を使《つか》おう

真実《しんじつ》がディスプレーに向《む》かって言《い》う。

「今見《いまみ》せたとおり、火《ひ》を消《け》す方法《ほうほう》は、コーラを振《ふ》って霧状《きりじょう》に噴出《ふんしゅつ》させること、ですね」

ディスプレーに、再《ふたた》びミステリー男爵《だんしゃく》が登場《とうじょう》する。

「お見事《みごと》です。謎野《なぞの》真実《しんじつ》さんチーム、正解《せいかい》であります!」

正解《せいかい》を知《し》らせるファンファーレが鳴《な》り響《ひび》く。と同時《どうじ》に、列車《れっしゃ》はスピードをゆるめ、停車《ていしゃ》した。

「……よかった。これでみんな、ラウンジカーに移《うつ》ることができる」

そう言《い》って、健太《けんた》はホッとした。

「それではみなさん、次《つぎ》のステージに進《すす》む方《かた》は、前《まえ》のラウンジカーへと移動《いどう》してください。間《ま》もなく食堂車《しょくどうしゃ》を切《き》り離《はな》します」

「おい、待《ま》ってくれ! オレらも連《つ》れてってくれよ。このまま食堂車《しょくどうしゃ》が切《き》り離《はな》されて、雪山《ゆきやま》に置《お》いていかれたらどうすればいいんだ」

倒《たお》れているＩＴ《アイティー》起業家《きぎょうか》の男性《だんせい》と、そのスタッフたちが、泣《な》きそうな声《こえ》で助《たす》けを求《もと》めていた。

だが、ミステリー男爵《だんしゃく》は、冷《つめ》たく言《い》い放《はな》った。

「あなたたちとはここでお別《わか》れです。脱落《だつらく》した方《かた》のラウンジカーへのご乗車《じょうしゃ》はご遠慮《えんりょ》願《ねが》います」

健太《けんた》は美希《みき》と真実《しんじつ》を見《み》て、訴《うった》えかけた。

「そんなのひどいよ。ねえ、この人《ひと》たちを助《たす》けてあげようよ！　手《て》を貸《か》して、前《まえ》の車両《しゃりょう》に一《いっ》緒《しょ》に連《つ》れていってあげよう」

真実《しんじつ》と美希《みき》はうなずく。

「オレも手伝《てつだ》うぞ！」

と、ハマセンも言《い》った。

「……浜田先生《はまだせんせい》、時間《じかん》がありませんわ」

恐井《こわい》はオロオロと心配《しんぱい》そうにハマセンを見《み》る。

「すみません、恐井先生《こわいせんせい》、やっぱりオレは困《こま》っている人《ひと》を見捨《みす》てることができません」

「そんなきれいごと言《い》ってちゃ、生《い》き残《のこ》れませんよ。チームのことも考《かんが》えてくださいよ」

日陰《ひかげ》はイライラしながらハマセンに抗議《こうぎ》する。

健太《けんた》、美希《みき》、真実《しんじつ》は、ハマセンと一緒《いっしょ》に手足《てあし》がひっついて動《うご》けなくなっている人《ひと》の体《からだ》を持《も》ち上《あ》げ、床《ゆか》と体《からだ》を引《ひ》き離《はな》そうとするが、ビクともしない。

「……悪《わる》いけど先《さき》に進《すす》むよ。ほかの人《ひと》を助《たす》けてるヒマはないからね」

必死《ひっし》な健太《けんた》たちを横目《よこめ》に、クイズ研究会《けんきゅうかい》チームの面々《めんめん》が通路《つうろ》を歩《ある》いていく。

そのときだった。彼《かれ》らの両手《りょうて》のリストバンドがバチンッ！とひっつく。

「え、なんで？　わっ、足《あし》もひっついたぞ！」

クイズ研究会《けんきゅうかい》の男女《だんじょ》3人《にん》メンバー全員《ぜんいん》は、その場《ば》で足《あし》をもつれさせて倒《たお》れてしまう。

「……おかしいよ！　ぼくらは謎解《なぞと》きに不正解《ふせいかい》だったわけじゃないのに！」

再《ふたた》び、ミステリー男爵《だんしゃく》が現《あらわ》れる。

「おや？　あなたたちはさっき自分《じぶん》から、棄権《きけん》する、列車《れっしゃ》から降《お》ろしてくれと叫《さけ》んでいたじゃありませんか。わたしはちゃんと聞《き》いていましたよ。だから、あなたたちとはここでお別《わか》れです。今《いま》から食堂車《しょくどうしゃ》を切《き》り離《はな》します」

（ダメだ……倒《たお》れた人《ひと》たちみんなを移動《いどう》させるのは時間的《じかんてき》にムリだ……この人《ひと》たちが車両《しゃりょう》ごと雪山《ゆきやま》に放置《ほうち》されたら、どうなるんだ……）

健太《けんた》は、ぼう然《ぜん》とした。


「キミたちは、前《まえ》の車両《しゃりょう》へと移《うつ》るんだ！」


健太《けんた》がハッとして声《こえ》のほうを見《み》ると、凛《りん》、アレクサンドル、キリコが立《た》っていた。

「ボクたちに、ここにいる人《ひと》たちのことはまかせて」

「凛《りん》くんたち、せっかく1番《ばん》で突破《とっぱ》に成功《せいこう》したのに？」

美希《みき》は、驚《おどろ》いて声《こえ》を上《あ》げる。アレクサンドルが叫《さけ》んだ。

「こんな謎解《なぞと》き、もうやってられるか。列車《れっしゃ》をこんなに粗末《そまつ》に扱《あつか》うミステリー男爵《だんしゃく》は許《ゆる》せねえ。オレたちの代《か》わりにぶっ倒《たお》してくれ！」

健太《けんた》や美希《みき》は、思《おも》いがけない凛《りん》たちの行動《こうどう》に言葉《ことば》を失《うしな》っていた。

真実《しんじつ》は、おもむろに凛《りん》たちを見《み》つめ、口《くち》を開《ひら》いた。

「……わかった。ここはキミたちに託《たく》したよ」

真実《しんじつ》たちがラウンジカーに移動《いどう》したとたん、「ガゴンッ‼」と鈍《にぶ》い音《おと》がして、車両《しゃりょう》の連結《れんけつ》部《ぶ》が外《はず》される。そして、機関車《きかんしゃ》とラウンジカーだけとなった列車《れっしゃ》が静《しず》かに動《うご》き出《だ》した。

車両《しゃりょう》に残《のこ》ることを決《き》めた凛《りん》、キリコ、アレクサンドル、そしてリストバンドで身動《みうご》きが取《と》れなくなった脱落者《だつらくしゃ》たち、シェフや給仕《きゅうじ》のスタッフたちを乗《の》せた車両《しゃりょう》が、どんどん遠《とお》ざかる。

(凛《りん》くんたち、疑《うたが》ってごめん。あなたたちはミステリー男爵《だんしゃく》の共犯者《きょうはんしゃ》じゃなかった……)

美希《みき》は、心《こころ》の中《なか》でわびた。

健太《けんた》は、ぐっと歯《は》をくいしばりながら、車両《しゃりょう》を見送《みおく》ってつぶやく。

「**……凛《りん》くんたち、みんなを頼《たの》んだよ**」

遠《とお》ざかる車両《しゃりょう》の連結部《れんけつぶ》で、凛《りん》とキリコが手《て》を振《ふ》り、アレクサンドルは真実《しんじつ》たちの健闘《けんとう》を祈《いの》って親指《おやゆび》を突《つ》き立《た》てた。やがて、車両《しゃりょう》は無情《むじょう》にも吹雪《ふぶき》の中《なか》に消《き》えて、まったく見《み》えなくなってしまった……。

真実《しんじつ》は、健太《けんた》と美希《みき》をジッと見《み》すえる。

「彼《かれ》らの気持《きも》ちに報《むく》いるためにも心《こころ》していこう。次《つぎ》は、もっと過酷《かこく》な謎解《なぞと》きが待《ま》っているにちがいない」

2人《ふたり》はしっかりとうなずく。

先《さき》ほどまで不安《ふあん》いっぱいだった健太《けんた》も、もう甘《あま》い考《かんが》えは捨《す》てた。

(ぼくたちは今《いま》、命《いのち》をかけた生《い》き残《のこ》りゲームに参加《さんか》しているんだ……

最後《さいご》まで残《のこ》って、ミステリー男爵《だんしゃく》の正体《しょうたい》をつきとめて、みんなを助《たす》けるんだ……)

列車《れっしゃ》はなおも、雪深《ゆきぶか》い山《やま》の中《なか》を走《はし》り続《つづ》けていた。

2

SCIENCE TRICK DATA FILE

科学《かがく》トリック データファイル

小麦粉《こむぎこ》で
大爆発《だいばくはつ》するなんて
不思議《ふしぎ》!

粉《ふん》塵《じん》爆《ばく》発《はつ》って何《なに》?

燃《も》える物質《ぶっしつ》の微粒子《びりゅうし》が空気中《くうきちゅう》に浮遊《ふゆう》しているとき、火花《ひばな》などで点《てん》火《か》されることで激《はげ》しい爆発《ばくはつ》が起《お》こることがあり、これを粉塵爆発《ふんじんばくはつ》といいます。石炭《せきたん》の粉《こな》や鉄《てつ》、アルミニウムなどの金属粉《きんぞくふん》のほか、小麦《こむぎ》粉《こ》でも発生《はっせい》します。大事故《だいじこ》につながることも少《すく》なくありません。

粉塵爆発《ふんじんばくはつ》の3要件《ようけん》

空気中《くうきちゅう》の酸素《さんそ》
O2
O2
O2
O2
O2
O2
同じ濃《こ》さで広《ひろ》がっている
燃《も》える物質《ぶっしつ》の微粒子《びりゅうし》
火花《ひばな》や静電気《せいでんき》など
火《ひ》をつけるもの

粉塵爆発《ふんじんばくはつ》はこうして起《お》こる
1
粒子《りゅうし》の表面《ひょうめん》が熱《あつ》くなる
粒子《りゅうし》
2
粒子《りゅうし》から出《で》た気体《きたい》が空《くう》気《き》と混《ま》ざり合《あ》って燃《も》えやすい気体《きたい》になる
空気中《くうきちゅう》に散《ち》らばっていると危険《きけん》なんだ
熱《ねつ》
3
熱《ねつ》
気体《きたい》に火《ひ》がつき、その熱《ねつ》でほかの粒子《りゅうし》も次々爆発《つぎつぎばくはつ》して、大爆発《だいばくはつ》に
熱《ねつ》

石《いし》の神《しん》殿《でん》の謎《なぞ》を解《と》け！

ミステリートレイン3

健太《けんた》がたった1両残《りょうのこ》されたラウンジカー内《ない》を見渡《みわた》すと、最初《さいしょ》は30人以上《にんいじょう》いた参加者《さんかしゃ》は、わずか9人《にん》……3チームに減《へ》っていた。

健太《けんた》と真実《しんじつ》と美希《みき》。そしてハマセン、恐井《こわい》、日陰《ひかげ》。さらに隼《はやぶさ》と父《ちち》の銀河《ぎんが》、兄《あに》の暁《あかつき》。

「真実《しんじつ》くん、次《つぎ》はどんな謎《なぞ》が出《だ》されるんだろう？」

健太《けんた》がつぶやいたそのとき、

プッシューーー！

耳《みみ》をつんざくような音《おと》とともに、列車《れっしゃ》が急停車《きゅうていしゃ》した。

「うわ～っ!!」

反動《はんどう》で列車《れっしゃ》の床《ゆか》に投《な》げ出《だ》される健太《けんた》たち。

「いたたたた……あれ？　止《と》まった!?」

窓《まど》の外《そと》は、雪《ゆき》をかぶった荒々《あらあら》しい岩肌《いわはだ》に囲《かこ》まれている。

「**今《いま》のは急《きゅう》ブレーキの音《おと》ですね。降《お》りてみるです！**」

隼《はやぶさ》は非常時《ひじょうじ》に扉《とびら》を開《あ》けるためのコックを操作《そうさ》して扉《とびら》を開《あ》けると、外《そと》に飛《と》び出《だ》した。みん

なもあとに続《つづ》く。

すると、ポーンと音《おと》がして、線路《せんろ》わきの小《ちい》さな小屋《こや》のランプが点灯《てんとう》した。

「なんだろう？　あれ」

健太《けんた》が近《ちか》づき、扉《とびら》を開《あ》けると、それはエレベーターのようだった。

「どうやら、これに乗《の》れということらしいな」

ハマセンがそう言《い》ってボタンを押《お》すと扉《とびら》が閉《し》まり、ガタゴトと降下《こうか》しはじめた。

「ずいぶん深《ふか》く降《お》りるみたい……。いったい、どこに続《つづ》いているのかしら？」

美希《みき》がつぶやいた瞬間《しゅんかん》、ガタン！と揺《ゆ》れてエレベーターが止《と》まり、扉《とびら》が開《ひら》いた。

そこには、岩《いわ》に囲《かこ》まれた空間《くうかん》が広《ひろ》がっていた。

壁《かべ》にとりつけられた灯油《とうゆ》ランプが、暗闇《くらやみ》をうっすらと照《て》らし出《だ》している。

「ここはいったいなんなの……？」

健太《けんた》が真実《しんじつ》に聞《き》く声《こえ》が、あたりの岩《いわ》の壁《かべ》にこだまして響《ひび》く。

「ここは、石《いし》を切《き》り出《だ》すための坑道《こうどう》……採石場《さいせきじょう》の跡《あと》のようだね」

「それってもしかして、美希《みき》ちゃんが言《い》ってた、落盤事故《らくばんじこ》のあった地下鉱山《ちかこうざん》!?」

地下《ちか》の冷気《れいき》に首筋《くびすじ》をなでられた気《き》がして、健太《けんた》はゾッとして身《み》をすくめた。

おそるおそる坑道《こうどう》の奥《おく》へ進《すす》むと、通路《つうろ》が枝分《えだわ》かれして、たくさんの小部屋《こべや》が現《あらわ》れた。

それぞれの部屋《へや》には石《いし》の名前《なまえ》が刻《きざ》まれた台座《だいざ》があり、その上《うえ》に、石《いし》が入《はい》ったガラスケースが置《お》かれている。

「孔雀石《くじゃくいし》」「緑柱石《りょくちゅうせき》」「月長石《げっちょうせき》」……部屋《へや》ごとに、美《うつく》しく、珍《めずら》しい石《いし》が置《お》かれている。

「うお～、まるで石《いし》の博物館《はくぶつかん》だな」

孔雀石《くじゃくいし》
銅《どう》の化合物《かごうぶつ》からなる鉱物《こうぶつ》。きれいな緑色《みどりいろ》をしていて光沢《こうたく》がある。銅《どう》の鉱石《こうせき》や顔料《がんりょう》、花火《はなび》の原料《げんりょう》などに使《つか》われる。マラカイトとも呼《よ》ばれる。

緑柱石《りょくちゅうせき》
金属《きんぞく》のベリリウム、アルミニウムの化合物《かごうぶつ》からなる鉱物《こうぶつ》。緑色《みどりいろ》の透明《とうめい》のものはエメラルド、青色《あおいろ》の透明《とうめい》のものはアクアマリンと呼《よ》ばれ、宝石《ほうせき》として用《もち》いられる。

月長石《げっちょうせき》
乳白色《にゅうはくしょく》で真珠《しんじゅ》のような光沢《こうたく》を持《も》ち、表面《ひょうめん》から青《あお》い光《ひかり》を放《はな》つ鉱物《こうぶつ》。ムーンストーンとも呼《よ》ばれ、装飾用《そうしょくよう》に使《つか》われる。

ハマセンが息《いき》をのんで言《い》う。

やがて一行《いっこう》は、広《ひろ》い空間《くうかん》にたどり着《つ》いた。

４本《ほん》の柱《はしら》が立《た》ち並《なら》び、その中央《ちゅうおう》に、モニターと虹色《にじいろ》に輝《かがや》く石《いし》が置《お》かれている。

次《つぎ》の瞬間《しゅんかん》、モニターに、ミステリー男爵《だんしゃく》の姿《すがた》が映《うつ》し出《だ》された。

「フッフッフ……勝《か》ち残《のこ》った９人《にん》のチャレンジャーのみなさん。『石《いし》の神殿《しんでん》』へようこそ。ここがあなたがたのファイナルステージであります」

「ファイナルステージ!?」

健太《けんた》が思《おも》わず声《こえ》をあげる。

「そう。このステージでは、わたしが出《だ》す謎《なぞ》をいちばん先《さき》に解《と》いたチームの勝《か》ち。ほかのチームは全員《ぜんいん》、その場《ば》で脱落《だつらく》になるのであります」

「なんだって……!?」

一同《いちどう》は顔《かお》を見合《みあ》わせ、ざわめいた。

「優勝《ゆうしょう》したチームには、賞金《しょうきん》の1億円《おくえん》を差《さ》し上《あ》げます。
ただし、答《こた》えを間違《まちが》えたり、解答《かいとう》が遅《おく》れたチームはこの神殿《しんでん》でどうなるのか……わかりませんがね。クククッ」

「また、誰《だれ》かがひどい目《め》にあうかも……真実《しんじつ》くん、どうしよう!?」

健太《けんた》がそう言《い》うと、真実《しんじつ》はかすかにうなずき、モニターを見上《みあ》げた。

「ミステリー男爵《だんしゃく》。あなたに提案《ていあん》がある」

「それは興味深《きょうみぶか》い。ぜひ聞《き》かせてください」

みんなが見《み》つめるなか、真実《しんじつ》は言葉《ことば》を続《つづ》けた。

「もしも、ぼくたちのチームがいちばん先《さき》にナゾを解《と》いたら1億《おく》円《えん》はいらない。そのかわり、みんなを無事《ぶじ》に地上《ちじょう》に戻《もど》してほしい」

ミステリー男爵《だんしゃく》は少《すこ》し間《ま》を置《お》き、ピクリと肩《かた》を震《ふる》わせると、カメラにゆっくりと顔《かお》を近《ちか》づけた。

「ほほう。自信《じしん》がおありのようでありますね。

よろしい。受《う》けて立《た》ちましょう」

その言葉《ことば》に、暁《あかつき》が「フン」と鼻《はな》を鳴《な》らした。

「悪《わる》いが、そう簡単《かんたん》にあんたらに勝《か》ちをゆずる気《き》はないぜ。1億円《おくえん》あれば、欲《ほ》しいものが何《なん》でも手《て》に入《はい》るからな」

健太《けんた》は、そんな暁《あかつき》の顔《かお》をキッとにらんだ。

「じゃあ、ほかの人《ひと》たちがどうなってもいいっていうの!?」

「当然《とうぜん》だろ。知《し》ったことじゃない」

「こうなったら、絶対《ぜったい》、いちばん先《さき》に謎《なぞ》を解《と》くしかないね、真実《しんじつ》くん」

健太《けんた》が言《い》うと、真実《しんじつ》は深《ふか》くうなずいた。

「ミステリーオープン！」

ミステリー男爵《だんしゃく》の声《こえ》とともに、床《ゆか》から大《おお》きな装置《そうち》が現《あらわ》れた。

装置《そうち》は台《だい》の形《かたち》をしていて、その上《うえ》には、真《ま》っ白《しろ》な紙《かみ》が置《お》かれている。

「みなさん。この紙《かみ》がファイナルステージの謎《なぞ》であります」

9人《にん》のチャレンジャーたちは台《だい》に近《ちか》づき、紙《かみ》をながめた。

「どう見《み》ても、ただの白《しろ》い紙《かみ》ですよ。いったいどうしろっていうんですか？」

スマホをいじりながら、隼《はやぶさ》がつぶやく。

「謎《なぞ》を解《と》くカギは、この地下《ちか》神殿《しんでん》に置《お》かれた【石《いし》】にあります」

「石《いし》……!?」

銀河《ぎんが》が声《こえ》をあげる。

「そうです。どの【石《いし》】を使《つか》って謎《なぞ》を解《と》くか、神殿《しんでん》の中《なか》から探《さが》し出《だ》し、この装《そう》置《ち》……成分《せいぶん》分析《ぶんせき》機《き》の上《うえ》に置《お》いてください。それが正《ただ》しい【石《いし》】だと判定《はんてい》されればクリアであります。それでは、謎《なぞ》解《と》きタイム、スタートです！」

そう言《い》うと、ミステリー男爵《だんしゃく》は、モニターから姿《すがた》を消《け》した。

健太《けんた》が首《くび》をかしげて、真実《しんじつ》と美希《みき》に言《い》う。

「文字《もじ》も何《なに》も書《か》いてない、白《しろ》い紙《かみ》の謎《なぞ》を解《と》けったって……どうすればいいんだろう?」

「もしかして、あぶりだしじゃない?」

美希《みき》の言葉《ことば》に、真実《しんじつ》もうなずいた。

「だとすれば、使《つか》う石《いし》はおそらく『カーバイド』だ。水《みず》をかけるとアセチレンガスが出《で》て、火《ひ》を近《ちか》づけると燃《も》えるんだ」

「カーバイド？　そんな石《いし》あったっけ？」

健太《けんた》がつぶやくと、美希《みき》はすばやく手帳《てちょう》を取《と》り出《だ》した。

「さっき、この神殿《しんでん》にある石《いし》の名前《なまえ》と位置《いち》をメモしておいたの。あ！　ここにある」

「さすが新聞部部長《しんぶんぶぶちょう》！　早《はや》く取《と》りに行《い》こう！」

カーバイド
一般的《いっぱんてき》には炭化《たんか》カルシウムの俗称《ぞくしょう》。人工的《じんこうてき》に作《つく》られ、さまざまな工業用薬品《こうぎょうようやくひん》の原料《げんりょう》となる。水《みず》と反応《はんのう》してできるアセチレンガスは有毒《ゆうどく》。

アセチレン
カーバイドと水《みず》の反応《はんのう》によりできる気体《きたい》。燃《も》えると高熱《こうねつ》を発《はっ》するので溶接《ようせつ》などに用《もち》いられるほか、ランプにも使《つか》われる。有毒《ゆうどく》で爆発《ばくはつ》しやすいため、取《と》り扱《あつか》いに注意《ちゅうい》が必要《ひつよう》。

あわてて走《はし》り出《だ》そうとする健太《けんた》を真実《しんじつ》が止《と》める。

「待《ま》って。みんなで動《うご》くとぼくたちの考《かんが》えが読《よ》まれてしまう。バラバラに動《うご》こう。誰《だれ》か1人《ひとり》がカーバイドを手《て》にしてここに戻《もど》るんだ」

作戦《さくせん》を決《き》め、真実《しんじつ》が合図《あいず》を送《おく》ると、3人《にん》はそれぞれ違《ちが》う方向《ほうこう》に駆《か》け出《だ》した。


「ひい、ふう、はあ……」


健太《けんた》は、細《ほそ》い通路《つうろ》をがむしゃらに走《はし》っていた。

そのとき、

「いたたっ！」


あたりに響《ひび》いた声《こえ》に、健太《けんた》は立《た》ち止《ど》まった。

近《ちか》くの小部屋《こべや》をのぞくと、隼《はやぶさ》がひざを抱《かか》えてしゃがみこんでいる。

「隼《はやぶさ》くん、どうしたの？　だいじょうぶ!?」

「父《とう》さんが、おまえも石《いし》を探《さが》してこいって。でも、どこを探《さが》せばいいかわからなくて……」

コツンと自分《じぶん》のおでこをたたく隼《はやぶさ》の姿《すがた》に、健太《けんた》は思《おも》わずふき出《だ》した。

「あ、健太《けんた》くん。見《み》てくださいあの石《いし》……」

隼《はやぶさ》が指《ゆび》さした台座《だいざ》には、「ウレキサイト」と刻《きざ》まれていた。

「この石《いし》なら知《し》ってるです。別名《べつめい》『テレビ石《いし》』っていって、おもしろい性質《せいしつ》があるんですよ」

隼《はやぶさ》はケースからガラスのような石《いし》を取《と》り出《だ》し、ヒョイと自分《じぶん》の目《め》に当《あ》てた。

すると……。

「わっ！　隼《はやぶさ》くんの目《め》が飛《と》び出《だ》した！」

目《め》に当《あ》てたのとは反対側《はんたいがわ》の石《いし》の表面《ひょうめん》に、隼《はやぶさ》の目《め》が浮《う》かび上《あ》がったのである。

「この石《いし》は、光《ひかり》をまっすぐ伝《つた》える性質《せいしつ》があるんですよ。だから、石《いし》の表面《ひょうめん》に映《うつ》っているボクの目《め》が、そのまま反対側《はんたいがわ》の表面《ひょうめん》に伝《つた》わって見《み》えたんです」

「すごーい、だからテレビ石《いし》っていうんだね！」

「この石《いし》には、ほかにもおもしろい性質《せいしつ》があるんですよ。実《じつ》はですね……」

ちょうどそのころ、美希《みき》はある部屋《へや》に駆《か》け込《こ》んでいた。

「カーバイド」と書《か》かれた台座《だいざ》の上《うえ》に、灰色《はいいろ》の石《いし》が入《はい》ったケースが置《お》かれている。

「あったわ！　どうやら一番《いちばん》乗《の》りみたいね！」

美希《みき》はケースの中《なか》のカーバイドを手《て》に取《と》ると、素早《すばや》くバッグに入《い》れた。

「早《はや》く分析機《ぶんせきき》のところに戻《もど》らないと」

そう言《い》って振《ふ》り向《む》いた美希《みき》の行《ゆ》く手《て》を、人《ひと》影《かげ》がふさいだ。

ハマセン、恐井《こわい》、日陰《ひかげ》の3人《にん》だった。

ウレキサイトの性質《せいしつ》

半透明《はんとうめい》の石《いし》を紙《かみ》の上《うえ》にのせると下《した》の紙《かみ》に書《か》かれてあるものが石《いし》の上面《じょうめん》に浮《う》かび上《あ》がる

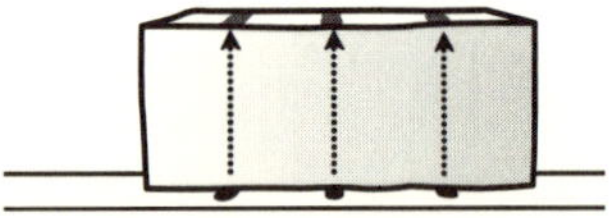

これは光《ひかり》がウレキサイトの中《なか》をまっすぐ上《うえ》にのみ進《すす》むため

「浜田先生《はまだせんせい》！」

「いやあ、おどかしてすまん！　オレたちもカーバイドが怪《あや》しいんじゃないかと思《おも》ってな。しかし、おまえが先《さき》に見《み》つけたならそれが1番《ばん》だ。早《はや》く持《も》っていけ！」

「ありがとう、先生《せんせい》！」

そう言《い》って、美希《みき》がハマセンの横《よこ》を駆《か》け抜《ぬ》けようとしたそのとき……。

「その石《いし》を渡《わた》すんだ！」

甲高《かんだか》い叫《さけ》び声《ごえ》が室内《しつない》にこだました。

おどろいて美希《みき》が振《ふ》り向《む》くと、日陰《ひかげ》がサバイバルナイフの刃《は》を向《む》けている。

「日陰《ひかげ》さん、いったいどうなさったの!?」

恐井《こわい》が声《こえ》をあげると、日陰《ひかげ》はナイフを持《も》つ手《て》をブルブルと震《ふる》わせた。

「わたしには金《かね》が必要《ひつよう》なんだ！　会社《かいしゃ》の金《かね》をギャンブルで使《つか》ってしまって、このままだと会《かい》

社《しゃ》がつぶれてしまうんだ！」

「なんですって⁉　そんなお金《かね》、わたしの『妖怪探偵《ようかいたんてい》ヨーカイくん』の売《う》り上《あ》げがあれば、十分《じゅうぶん》足《た》りるはずですわよ⁉」

「あんたの作品《さくひん》の権利《けんり》なんて、とっくのとうに売《う》り払《はら》ってるよ！　今《いま》すぐに1億円《おくえん》が必要《ひつよう》なんだ！　さあ、その石《いし》をさっさと渡《わた》すんだ！」

美希《みき》は、バッグからカーバイドを取《と》り出《だ》すと、おそるおそる日陰《ひかげ》に渡《わた》した。

「ウヒャヒャヒャ！　これで1億円《おくえん》はわたしのものだ。さあ、戻《もど》るぞおまえたち！」

「子《こ》どもをナイフでおどすとは……なんてやつだ！　青井《あおい》、本当《ほんとう》にすまん！」

ハマセンは美希《みき》に向《む》かって頭《あたま》を下《さ》げた。

カーバイドを手《て》に、成分分析機《せいぶんぶんせきき》が置《お》かれた場所《ばしょ》に戻《もど》る日陰《ひかげ》、ハマセン、恐井《こわい》。

そのようすを、真実《しんじつ》たち3人《にん》と隼《はやぶさ》チームの3人《にん》が、離《はな》れた場所《ばしょ》から見守《みまも》っている。

「ごめんなさい。先《さき》に手《て》に入《い》れたのに、うばわれちゃって……」

「気《き》にしないで。美希《みき》ちゃんは悪《わる》くないよ」

（でも、いったいどうなるんだろう……？）

不安《ふあん》げに見《み》つめる健太《けんた》の視線《しせん》の先《さき》で、日陰《ひかげ》が分析機《ぶんせきき》の上《うえ》にカーバイドを置《お》く。

ピピピピピ……と赤《あか》いランプが点滅《てんめつ》を始《はじ》めた。

やがて、冷《つめ》たい機械《きかい》の声《こえ》が神殿《しんでん》に響《ひび》く。

「**分析終了《ぶんせきしゅうりょう》。コレハ、カーバイドデス。チェックポイントクリア**」

「やったぞ！　これで1億円《おくえん》はわたしのものだ！」

日陰《ひかげ》は小躍《こおど》りした。

「あんたの言《い》ったとおり、あぶりだしだったな、浜田先《はまだせん》生《せい》。早《はや》く試《ため》そう。石《いし》に水《みず》をかけてガスを発生《はっせい》させ、火《ひ》を近《ちか》づければいいんだよな」

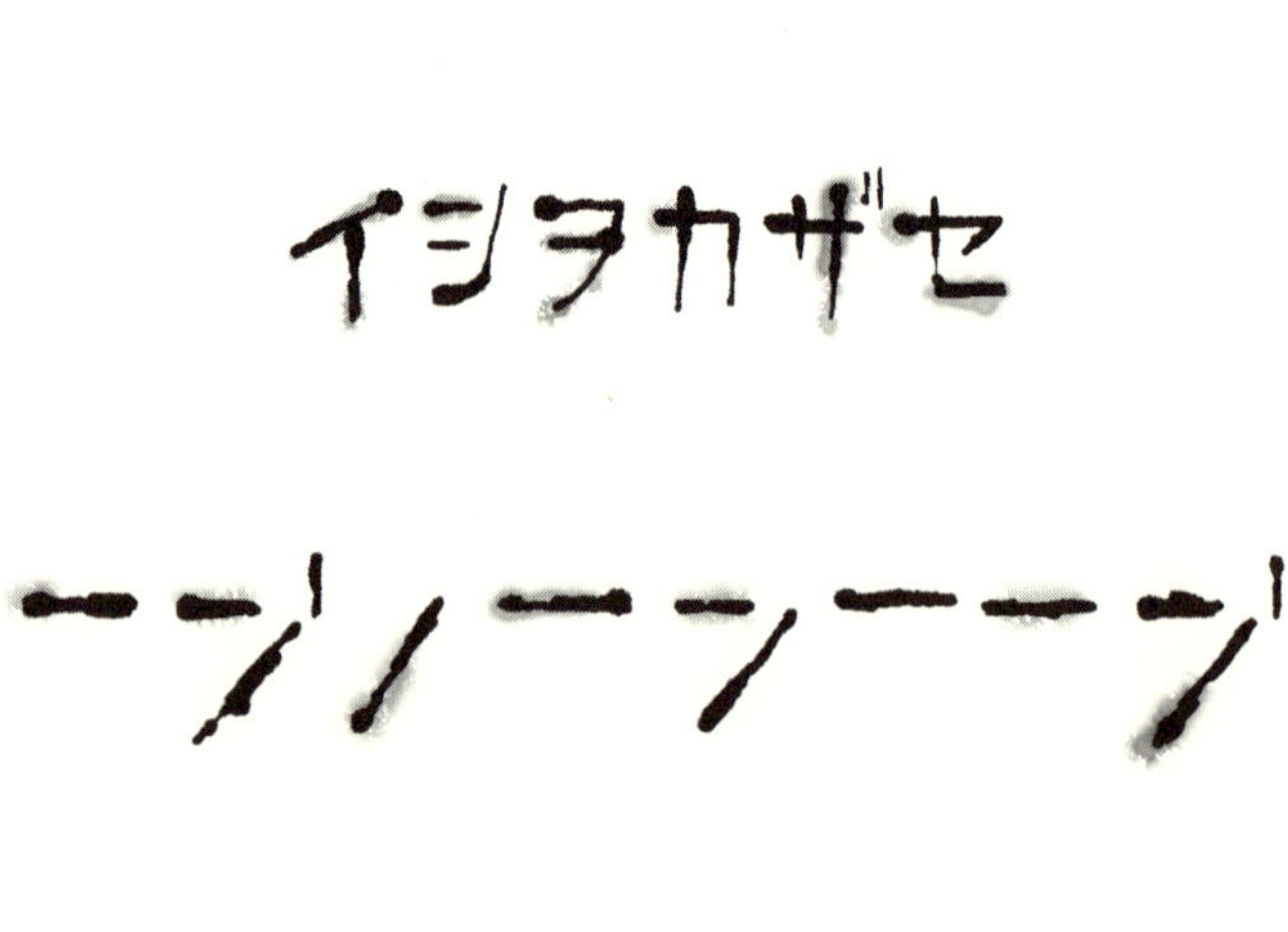

日陰《ひかげ》は、分析機《ぶんせきき》の下《した》にあったバケツにカーバイドを入《い》れると、水筒《すいとう》の水《みず》を振《ふ》りかけた。そして、ライターの火《ひ》を近《ちか》づけると、ボワッと石《いし》に火《ひ》がついた。

「ウヒャヒャヒャ! いいぞいいぞ!」

日陰《ひかげ》は笑《わら》い声《ごえ》をあげて真《ま》っ白《しろ》な紙《かみ》を手《て》に取《と》ると、カーバイドの炎《ほのお》にかざした。

すると、紙《かみ》に不思議《ふしぎ》な模様《もよう》が浮《う》かび上《あ》がった。

「ヒャ……!? これはいったい何《なん》だ……!?」

顔《かお》をこわばらせる日陰《ひかげ》の横《よこ》で、恐井《こわい》がつぶやく。

「何《なに》かの暗号《あんごう》みたい……まだ謎《なぞ》は解《と》けてないってことかしら!?」

「そんなはずない! あぶりだしの謎《なぞ》を解《と》いたのはわたしだ! この石《いし》が正解《せいかい》だ!」

日陰《ひかげ》は炎《ほのお》を踏《ふ》み消《け》すと、乱暴《らんぼう》に分析機《ぶんせきき》の上《うえ》にカーバイドを置《お》き直《なお》した。すると……。

ピピピピピ……ビーーッ!

激《はげ》しい警告音《けいこくおん》とともに、分析機《ぶんせきき》の声《こえ》が響《ひび》いた。

「セカンドチェックポイント。失格《しっかく》！　イシガチガイマス！」

次《つぎ》の瞬間《しゅんかん》、日陰《ひかげ》たちの足元《あしもと》の地面《じめん》がガバッと開《ひら》き、日陰《ひかげ》とハマセン、恐井《こわい》の3人《にん》は深《ふか》い闇《やみ》の底《そこ》に吸《す》い込《こ》まれていった。

「キャ――‼」

「謎野《なぞの》〜！　必《かなら》ず、この謎《なぞ》を解《と》いてくれ〜〜！」

ハマセンの声《こえ》が響《ひび》く。

真実《しんじつ》と健太《けんた》は3人《にん》を救《すく》おうと前《まえ》に出《で》たが、足元《あしもと》の扉《とびら》はすぐに閉《と》じてしまった。

「浜田先生《はまだせんせい》〜！」

「フン。じゃま者《もの》が1組《ひとくみ》消《き》えたな」

暁《あかつき》の言葉《ことば》を聞《き》いた健太《けんた》は、すがるような思《おも》いで真実《しんじつ》に言《い》った。

「もう、ミステリー男爵《だんしゃく》に降参《こうさん》しようよ！　そうすれば、浜田先生《はまだせんせい》たちを助《たす》ける方法《ほうほう》を教《おし》えてくれるかもしれないよ!?」

しかし、真実《しんじつ》はギュッと手《て》を強《つよ》く握《にぎ》りしめると、こう言《い》った。

「いや、降参《こうさん》はしない。ぼくたちがいちばん最初《さいしょ》にナゾを解《と》いて、約束《やくそく》どおりみんなを助《たす》けてもらうんだ」


真実《しんじつ》たちは再《ふたた》び、紙《かみ》に浮《う》かび上《あ》がった暗号《あんごう》を見《み》つめた。

「さっきセカンドチェックポイントって言《い》ってたし、この暗号《あんごう》も、石《いし》を使《つか》って読《よ》み解《と》かないといけないってわけね。ここに書《か》いてある『石《いし》をかざせ』って、どういう意味《いみ》かしら？」

美希《みき》の言葉《ことば》に、健太《けんた》はハッとした。

「そういえば、さっき隼《はやぶさ》くんが教《おし》えてくれた石《いし》があったんだ。テレビ石《いし》っていう不思議《ふしぎ》な石《いし》。あの石《いし》の性質《せいしつ》を使《つか》えば……」

真実《しんじつ》があごに手《て》を当《あ》てて考《かんが》える。

「テレビ石《いし》……だとすると、その場所《ばしょ》は隼《はやぶさ》くんも知《し》ってるってことだよね」

「だったら、隼《はやぶさ》くんたちより先《さき》に取《と》りに行《い》かないと！」

美希《みき》が急《せ》かすように言《い》うと、真実《しんじつ》はうなずいた。

「今度《こんど》は小細工《こざいく》は通用《つうよう》しない。ぼくたち3人《にん》で行《い》こう」

真実《しんじつ》、健太《けんた》、美希《みき》は、みんなでいっせいに走《はし》りはじめた。


「動《うご》いたな。オレたちも行《い》こう。足《あし》を引《ひ》っ張《ぱ》るなよ、隼《はやぶさ》」

暁《あかつき》の声《こえ》に、スマホを見《み》ていた隼《はやぶさ》はあわててうなずいた。

「はい。快速運転《かいそくうんてん》で行《い》きますです！」

暁《あかつき》、銀河《ぎんが》、隼《はやぶさ》の3人《にん》も、真実《しんじつ》たちのあとを追《お》って走《はし》りはじめた。

暁《あかつき》と銀河《ぎんが》は、みるみるうちに健太《けんた》たちに追《お》いついた。

「このままじゃ抜《ぬ》かれちゃうよ！」

「テレビ石《いし》の場所《ばしょ》へは、こっちからも行《い》けるはずよ！」

メモを見《み》ながら美希《みき》が叫《さけ》ぶと、健太《けんた》たち3人《にん》は細《ほそ》い通路《つうろ》に飛《と》び込《こ》んだ。

健太《けんた》がうしろを確認《かくにん》して叫《さけ》ぶ。

「暁《あかつき》くんたちは別《べつ》のコースだ！　どっちが早《はや》いか競走《きょうそう》だね！」

そう言《い》ってカーブを曲《ま》がると……なんと、道《みち》が途切《とぎ》れて断崖絶壁《だんがいぜっぺき》になっていた。

「うわあっ！　崖《がけ》だ！　このままだと落《お》ちちゃうよ！」

「崖《がけ》のむこうまでそんなに離《はな》れてないわ！　ジャンプすればだいじょうぶよ！」

美希《みき》は、足《あし》を止《と》めずにそのままジャンプした。

そしてみごとに着地《ちゃくち》を決《き》める。

続《つづ》けて真実《しんじつ》、そして健太《けんた》も崖《がけ》を飛《と》び越《こ》え、着地《ちゃくち》を決《き》めた。

「やった〜！　どんなもんだーい！」

思《おも》わずガッツポーズをする健太《けんた》。しかし、真実《しんじつ》のようすがおかしい。

「ううっ！」

うずくまったまま、足首《あしくび》をおさえている。

「どうしたの!?　真実《しんじつ》くん、だいじょうぶ!?」

「着地《ちゃくち》したとき、足《あし》をひねってしまったらしい。これ以上走《いじょうはし》るのは難《むずか》しそうだ。悪《わる》いけど、テレビ石《いし》は健太《けんた》くんと美希《みき》さんにまかせたよ」

「そんな……」

息《いき》をのむ健太《けんた》と美希《みき》。

「時間《じかん》がない。さあ、早《はや》く！」

真実《しんじつ》の言葉《ことば》に、健太《けんた》と美希《みき》は顔《かお》を見合《みあ》わせてうなずいた。

「わかった！　行《い》こう！」

走《はし》りはじめた健太《けんた》らの視界《しかい》の端《はし》で、うずくまる真実《しんじつ》の姿《すがた》が遠《とお》ざかっていく。

「着《つ》いた！　ここだよ！」

テレビ石《いし》が置《お》かれていた部屋《へや》に駆《か》け込《こ》む健太《けんた》と美希《みき》。

しかし、その場《ば》のようすを見《み》て、健太《けんた》は息《いき》をのんだ。


「ええっ⁉　これってどういうこと⁉」


台座《だいざ》の上《うえ》の「ウレキサイト」と書《か》かれたガラスケースは空《から》っぽだったのだ。

かわりに、床《ゆか》には「ウレキサイト」にそっくりの石《いし》が山《やま》のように積《つ》まれていた。

「この中《なか》に、ホントのテレビ石《いし》があるってこと⁉」

美希《みき》は思《おも》わず頭《あたま》を抱《かか》えた。

そのとき、通路《つうろ》から足音《あしおと》が聞《き》こえ、銀河《ぎんが》と暁《あかつき》が部屋《へや》に駆《か》け込《こ》んできた。

暁《あかつき》は石《いし》の山《やま》に目《め》をやると、健太《けんた》と美希《みき》をにらんだ。

「こいつは先《さき》を越《こ》されたな。やっぱりテレビ石《いし》に目《め》をつけてたか」

「だが、まだ石《いし》は見《み》つけてないようだぞ、暁《あかつき》。そういえば、隼《はやぶさ》はどこへ行《い》った？」

ウレキサイト

「どこかで迷《まよ》ってしまったらしい。本当《ほんとう》に役《やく》に立《た》たないやつだ」

そう言《い》うと、暁《あかつき》は足早《あしばや》に、石《いし》の山《やま》に近《ちか》づいてきた。

「1億円《おくえん》は、オレたちがいただくぜ」

「きみたちには渡《わた》さないよ！」

健太《けんた》と美希《みき》はあわてて山《やま》の中《なか》から石《いし》を探《さが》そうとするが、どれが本物《ほんもの》か、さっぱりわからない。

「もうっ！　健太《けんた》くん、テレビ石《いし》を見分《みわ》ける方法《ほうほう》、知《し》らないの!?」

「そんなこと言《い》ったって……あっ！　そういえば……」

健太《けんた》にテレビ石《いし》を見《み》せてくれたとき、隼《はやぶさ》がこんなことを言《い》っていたのだ。

「この石《いし》には、ほかにもおもしろい性質《せいしつ》があるんですよ。実《じつ》はですね、お湯《ゆ》をかけると表面《ひょうめん》が溶《と》けるんです」

健太《けんた》は、その話《はなし》を美希《みき》に耳打《みみう》ちした。

「つまり、お湯《ゆ》をかけて表面《ひょうめん》が溶《と》けたら、それがテレビ石《いし》ってことね？」

言《い》うなり、美希《みき》はポケットから水筒《すいとう》を取《と》り出《だ》し、中《なか》のお湯《ゆ》を石《いし》の山《やま》に振《ふ》りかけた。

すると、健太《けんた》の指《ゆび》が、ある石《いし》の表面《ひょうめん》でヌルリと滑《すべ》った。

石《いし》の表面《ひょうめん》がうっすらと溶《と》けかかっているようだ。

「これだ……！　見《み》つけたよ！　テレビ石《いし》だ！」

「途中《とちゅう》であいつらに取《と》られたら絶対《ぜったい》ダメよ！」

「わかってる！　**3、2、1……ゴ～！**」

健太《けんた》と美希《みき》は、同時《どうじ》に全速力《ぜんそくりょく》で走《はし》りはじめた。

「まさかあいつら……テレビ石《いし》を見《み》つけたのか⁉」

気《き》づいた暁《あかつき》が、素早《すばや》く2人《ふたり》のあとを追《お》いかけてくる。


無我夢中《むがむちゅう》で神殿《しんでん》の中央《ちゅうおう》に走《はし》り込《こ》んでくる健太《けんた》と美希《みき》。

分析機《ぶんせきき》の近《ちか》くには、隼《はやぶさ》の姿《すがた》があった。

「健太《けんた》くん、もしかして石《いし》を手《て》に入《い》れたですか⁉」

「うん。ついにテレビ石《いし》を手《て》に入《い》れたよ！」

次《つぎ》の瞬間《しゅんかん》、ミステリー男爵《だんしゃく》がモニターに姿《すがた》を現《あらわ》した。

「いよいよ、運命《うんめい》の瞬間《しゅんかん》であります。
その石《いし》を成分分析機《せいぶんぶんせきき》の上《うえ》に置《お》いてください」

健太《けんた》と美希《みき》はゴクリとつばをのみ込《こ》むと、テレビ石《いし》を握《にぎ》った手《て》を台《だい》へとのばした。

そのとき……！

「その石《いし》を置《お》いちゃいけない！」

神殿《しんでん》に声《こえ》が響《ひび》いた。

振《ふ》り返《かえ》ると、分析機《ぶんせきき》から離《はな》れた場所《ばしょ》に真実《しんじつ》が立《た》っていた。

「真実《しんじつ》くん！」

「健太《けんた》くん、もう一度《いちど》よく考《かんが》えるんだ。暗号《あんごう》の上《うえ》にテレビ石《いし》を置《お》けば、確《たし》かに暗号《あんごう》は石《いし》の表《ひょう》面《めん》に浮《う》かび上《あ》がって見《み》えるだろう。でも、それで暗号《あんごう》が解《と》けると思《おも》うかい？」

健太《けんた》は、頭《あたま》の中《なか》で想像《そうぞう》してみてハッとした。

「言《い》われてみれば、確《たし》かに……」

健《けん》太《た》は、テレビ石《いし》を握《にぎ》った手《て》を思《おも》わずひっこめた。

「いったいどういうことです、謎《なぞ》野《の》真《しん》実《じつ》さん。その石《いし》が正解《せいかい》ではないというんですか？」

モニターの中《なか》のミステリー男爵《だんしゃく》が首《くび》をかしげる。

「ああ。これは罠《わな》だよ。ファイナルステージからぼくたちを脱落《だつらく》させるためのね」

「なんだって!?」

健《けん》太《た》は思《おも》わず叫《さけ》んで、美《み》希《き》と顔《かお》を見《み》合《あ》わせた。

「フッフッフッ……さすがは真実《しんじつ》くん。すべてお見通《みとお》しですか」

不《ふ》敵《てき》な笑《え》みを浮《う》かべ現《あらわ》れたのは、銀《ぎん》河《が》と暁《あかつき》だった。

分《ぶん》析《せき》機《き》へと歩《あゆ》み寄《よ》る2人《ふたり》を、真実《しんじつ》は静《しず》かに見《み》つめた。

「銀《ぎん》河《が》さん、隼《はやぶさ》くんが健《けん》太《た》くんに伝《つた》えた『テレビ石《いし》』の話《はなし》。あれもすべて、作《さく》戦《せん》だったんじゃないですか？　ぼくたちに間《ま》違《ちが》った石《いし》を答《こた》えさせるためのね」

「ええ、そのとおりです」

「ええっ!?　隼《はやぶさ》くん、本当《ほんとう》なの!?」

健太《けんた》が聞《き》くと、隼《はやぶさ》は申《もう》し訳《わけ》なさそうにうつむいた。

「……うん。父《とう》さんに言《い》われてしかたなく……。ごめんなさいです」

近《ちか》づく銀河《ぎんが》はほほえんでいたが、よく見《み》ると、その目《め》は笑《わら》っていなかった。

「あなたたちが答《こた》えを間違《まちが》えて脱落《だつらく》する姿《すがた》が見《み》たかったのですが、バレては仕方《しかた》がない。わたしたちが正解《せいかい》の石《いし》を置《お》いて、このゲームを終《お》わりにするとしましょう」

「正解《せいかい》の石《いし》……？」

健太《けんた》が眉《まゆ》をひそめると、暁《あかつき》が隼《はやぶさ》に言《い》った。

「隼《はやぶさ》、オレたちがそこの2人《ふたり》とテレビ石《いし》の部屋《へや》で時間《じかん》かせぎしているあいだに、ちゃんと例《れい》の石《いし》は手《て》に入《い》れたんだろうな？」

「……はいです」

隼《はやぶさ》はうなずくと、ポケットから、数個《すうこ》の四角《しかく》い、透明《とうめい》な石《いし》のかけらを取《と》り出《だ》した。

「それが正解《せいかい》の石《いし》なの!?」

「はい、『方解石《ほうかいせき》』という石《いし》です。この石《いし》には不思議《ふしぎ》な性質《せいしつ》があって、文字《もじ》や絵《え》の上《うえ》に置《お》くと、それが二重《にじゅう》にずれて、ダブって見《み》えるらしいです」

「二重《にじゅう》にダブって見《み》える…？」

健太《けんた》の言葉《ことば》に、真実《しんじつ》がうなずいた。

「方解石《ほうかいせき》の中《なか》を光《ひかり》が通《とお》るとき、光《ひかり》は２つに分《わ》かれて進《すす》む。だから方解石《ほうかいせき》の表面《ひょうめん》に浮《う》かぶ像《ぞう》は、紙《かみ》をずらして重《かさ》ねたみたいに、二重《にじゅう》になって見《み》えるんだ」

その説明《せつめい》に、美希《みき》はハッとして声《こえ》をあげた。

「そっか！　さっきの暗号《あんごう》を二重《にじゅう》に重《かさ》ねて見《み》れば、謎《なぞ》が解《と》けるってわけね!?」

「そのとおりです。今《いま》ごろわかっても、もう遅《おそ》いですがね」

そう言《い》って隼《はやぶさ》の手《て》から方解石《ほうかいせき》を取《と》り上《あ》げたのは、銀河《ぎんが》だった。

「知恵比《ちえくら》べは我々《われわれ》の勝利《しょうり》だ。キミの負《ま》けですよ、真実《しんじつ》くん」

方解石《ほうかいせき》の性質《せいしつ》

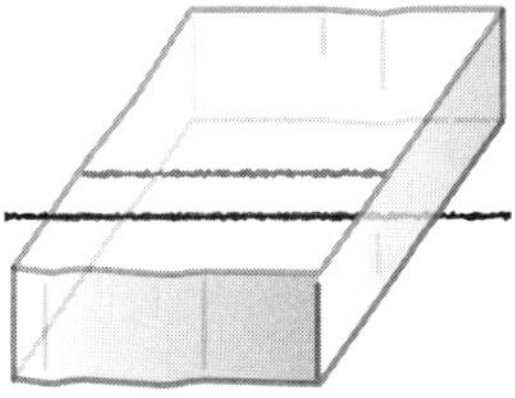

透明《とうめい》な方解石《ほうかいせき》※を線《せん》の上《うえ》に置《お》くと線《せん》が二重《にじゅう》に見《み》える

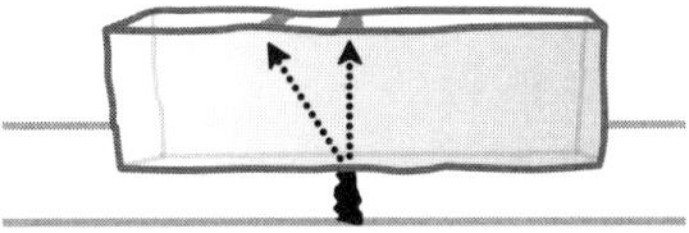

これは光《ひかり》が方解石《ほうかいせき》の中《なか》で２方向《ほうこう》に屈折《くっせつ》するため

※多《おお》くは不透明《ふとうめい》だがまれに透明《とうめい》なものもある

真実《しんじつ》は、離《はな》れた場所《ばしょ》からじっと銀河《ぎんが》を見《み》つめている。

モニターの中《なか》で、ミステリー男爵《だんしゃく》が大《おお》きく両手《りょうて》を開《ひら》いた。

「さあ！　それでは、【石《いし》】を分析機《ぶんせきき》の上《うえ》に置《お》いてください！」

「さらばだ、真実《しんじつ》くん」

銀河《ぎんが》は目《め》を細《ほそ》め、石《いし》を分析機《ぶんせきき》の上《うえ》に置《お》いた。

ピピピピピ……と赤《あか》いランプが点滅《てんめつ》を始《はじ》める。

勝利《しょうり》を確信《かくしん》し、銀河《ぎんが》と暁《あかつき》がニヤリとほほえんだそのとき……。

ビーーッ！

激《はげ》しい警告音《けいこくおん》が響《ひび》いた。

「セカンドチェックポイント。失格《しっかく》！

イシガチガイマス！」

「なんだって!?」

銀河《ぎんが》と暁《あかつき》は驚《おどろ》き、目《め》を見開《みひら》いた。

次《つぎ》の瞬間《しゅんかん》、足元《あしもと》の地面《じめん》が開《ひら》き、隼《はやぶさ》たち3人《にん》は暗闇《くらやみ》の底《そこ》に落《お》ちていった。

「うわ〜〜っ！」

「隼《はやぶさ》く――ん！」

あわてて穴《あな》に駆《か》け寄《よ》る健太《けんた》。

そこには、岩《いわ》にしがみつき、必死《ひっし》にぶら下《さ》がっている隼《はやぶさ》の姿《すがた》があった。

「隼《はやぶさ》くん！」

「健太《けんた》くん！　助《たす》けてください！　ボクたち、友達《ともだち》ですよね!?」

「もちろんだよ！　早《はや》くつかまって！」

健太《けんた》の腕《うで》をつかもうと、必死《ひっし》にのばす隼《はやぶさ》の手《て》から、スマホがすべり落《お》ちた。
スマホは闇《やみ》の中《なか》に吸《す》い込《こ》まれ、カシャーンと地面《じめん》に当《あ》たり、砕《くだ》ける音《おと》が響《ひび》いた。
その瞬間《しゅんかん》、モニターに映《うつ》るミステリー男爵《だんしゃく》の映像《えいぞう》がザザザ……と乱《みだ》れた。
「ミステリーオープン……オープン……オオオオ……」
そして、プツリと映像《えいぞう》は途切《とぎ》れ、ミステリー男爵《だんしゃく》の姿《すがた》が消《き》えた。
健太《けんた》は隼《はやぶさ》の手《て》をつかむと、ありったけの力《ちから》で引《ひ》き上《あ》げた。

「助《たす》かったです！　でも、どうしてです？　正解《せいかい》は、方解石《ほうかいせき》のハズなのに……！」

「ぼくが、ケースの中身《なかみ》をほかの石《いし》とすり替《か》えておいたのさ」

その声《こえ》に隼《はやぶさ》が振《ふ》り向《む》くと、真実《しんじつ》がすぐそばに立《た》っていた。

「真実《しんじつ》くん！　石《いし》をすり替《か》えたっていつの間《ま》にですか!?」

「健太《けんた》くんと美希《みき》さんがテレビ石《いし》を取《と》りに行《い》ってるあいだにだよ」

その言葉《ことば》に、今度《こんど》は健太《けんた》が驚《おどろ》きの声《こえ》をあげた。

「えっ、そうだったの!?　いったいどうして!?」

「あぶりだしで暗号《あんごう》が浮《う》かんだとき、このナゾを解《と》くのは、方解石《ほうかいせき》だと思《おも》ったんだ。だから、ぼく1人《ひとり》で、方解石《ほうかいせき》を取《と》りに向《む》かったのさ」

隼《はやぶさ》はまだ納得《なっとく》のいかないようすだった。

「しかしです。あのとき、真実《しんじつ》くんは足《あし》をけがしていたはずですよね？」

「いや。実《じつ》は、足《あし》はなんともなかったんだ。方解石《ほうかいせき》を取《と》りに行《い》くことは、健太《けんた》くんと美希《みき》さんには内緒《ないしょ》にしておきたかったからね、悪《わる》いけどウソをついたんだよ」

そして真実《しんじつ》は、ふところから、数個《すうこ》の透明《とうめい》な石《いし》を取《と》り出《だ》して見《み》せた。

「これがぼくが手《て》に入《い》れた方解石《ほうかいせき》だ。そのあとケースに、方解石《ほうかいせき》によく似《に》た『石英《せきえい》』を入《い》れておいた。隼《はやぶさ》くんが手《て》にしたのは、その石《いし》だったのさ」

「なるほど……！　そうだったんですね……」

真実《しんじつ》が方解石《ほうかいせき》を分析機《ぶんせきき》の上《うえ》に置《お》くと、ピピピピ……とランプが点滅《てんめつ》しはじめた。

『分析終了《ぶんせきしゅうりょう》。コレハ、方解石《ほうかいせき》デス。
セカンドチェックポイントクリア』

「やったーーっ！」

ガッツポーズで喜《よろこ》びの声《こえ》をあげる健太《けんた》と美希《みき》。

「この方解石《ほうかいせき》を並《なら》べて暗号《あんごう》の上《うえ》に置《お》けば、解読《かいどく》できるようになるはずだよ」

文字《もじ》が二重《にじゅう》にダブって見《み》えるという性質《せいしつ》を持《も》つ方《ほう》

イシヲカザセ

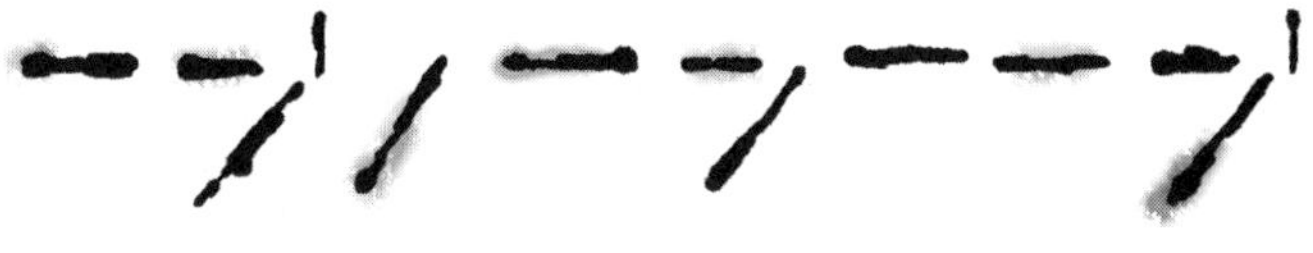

解石《かいせき》。

はたして、どんな文字《もじ》が浮《う》かび上《あ》がるのだろうか？

解《かい》決《けつ》編《へん》

真実《しんじつ》が暗号《あんごう》の上《うえ》に方解石《ほうかいせき》を並《なら》べると、なんと石《いし》の中《なか》で、暗号《あんごう》が二重《にじゅう》にダブって見《み》えた。

「え～っと、これは……ああっ！　読《よ》めた！」

息《いき》をのんで見《み》つめていた健太《けんた》が叫《さけ》ぶ。

「ニジノニシニニジ……？　でも、これってどういう意味《いみ》だろう？」

「もしかしたら……ねえ、あれを見《み》て！」

美希《みき》は神殿《しんでん》の中央《ちゅうおう》に置《お》かれた虹色《にじいろ》の石《いし》を指《ゆび》さした。

虹色《にじいろ》の石《いし》のまわりには、東西南北《とうざいなんぼく》を囲《かこ》むように、4本《ほん》の柱《はしら》が立《た》っている。

「『ニジノニシニニジ』は『虹《にじ》の西《にし》に虹《にじ》』……つまり、西側《にしがわ》の柱《はしら》に虹色《にじいろ》の石《いし》を移動《いどう》させればいいのよ！」

西側《にしがわ》に立《た》つ柱《はしら》を調《しら》べると、石《いし》がピッタリはまる大《おお》きさの穴《あな》が開《あ》いていた。

虹色《にじいろ》の石《いし》を手《て》に取《と》り、柱《はしら》の穴《あな》にはめる健太《けんた》。

「成分分析《せいぶんぶんせき》・蛍石《ほたるいし》。最終《さいしゅう》チェックポイントクリア」

装置《そうち》の声《こえ》とともに、ゴゴゴゴ……と目《め》の前《まえ》の壁《かべ》が開《ひら》きはじめた。

「うわっ！　なんだあれ!?」

壁《かべ》のむこうに現《あらわ》れたのは、斜《なな》めに傾《かたむ》いたような、不思議《ふしぎ》な形《かたち》の乗《の》り物《もの》だった。

「うわあ！　これは急《きゅう》な斜面《しゃめん》を走《はし》るようにつくられた、ケーブルカーですよ」

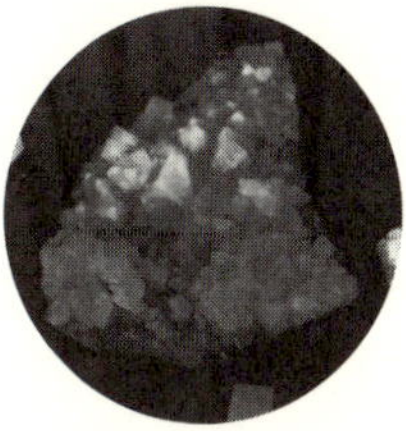

蛍石《ほたるいし》
フッ素《そ》を含《ふく》む鉱物《こうぶつ》。純粋《じゅんすい》なものは無色《むしょく》だが、通常《つうじょう》は不純物《ふじゅんぶつ》を含《ふく》み、黄《き》、緑《みどり》、紫《むらさき》、灰《はい》、青《あお》色《いろ》などを帯《お》びる。

ケーブルカー
ケーブル（鋼鉄製《こうてつせい》のロープ）で線路上《せんろじょう》の車両《しゃりょう》を坂《さか》の上《うえ》へ引《ひ》き上《あ》げることで、急《きゅう》な勾配《こうばい》を上《のぼ》り下《お》りすることができる鉄道《てつどう》。日本《にほん》にも各地《かくち》にある。

「じゃあ、これに乗《の》れば、地上《ちじょう》に戻《もど》れるのね！」

美希《みき》が言《い》うと、健太《けんた》はモニターに向《む》かって、あかんべーをしながら叫《さけ》んだ。

「ミステリー男爵《だんしゃく》！　約束《やくそく》どおり、みんなを無事《ぶじ》に地上《ちじょう》に戻《もど》してもらうよ！」

しかし、モニターは真《ま》っ暗《くら》なままで、ミステリー男爵《だんしゃく》の姿《すがた》はなかった。

「そういえば、さっきから姿《すがた》が見《み》えないわよね。どうしたのかしら？」

一同《いちどう》が首《くび》をかしげるなか、真実《しんじつ》が隼《はやぶさ》に向《む》かって言《い》った。

「隼《はやぶさ》くん、1つ聞《き》いていいかい？」

「なんですか？」

「キミはさっき、ぼくが足《あし》をけがしていたはずだと言《い》ったね。キミはあの場《ば》にいなかったはずなのに、どうして知《し》っていたんだい？」

「あ。いや、それはですね……」

「ぼくの推理《すいり》はこうだ。キミはぼくたちの会話《かいわ》を全部《ぜんぶ》聞《き》いていたんだ。健太《けんた》くんにあげたアクセサリーに盗聴器《とうちょうき》と発信機《はっしんき》をしかけてね」

「盗聴器《とうちょうき》に発信機《はっしんき》……!?　ホントなの!?　隼《はやぶさ》くん！」

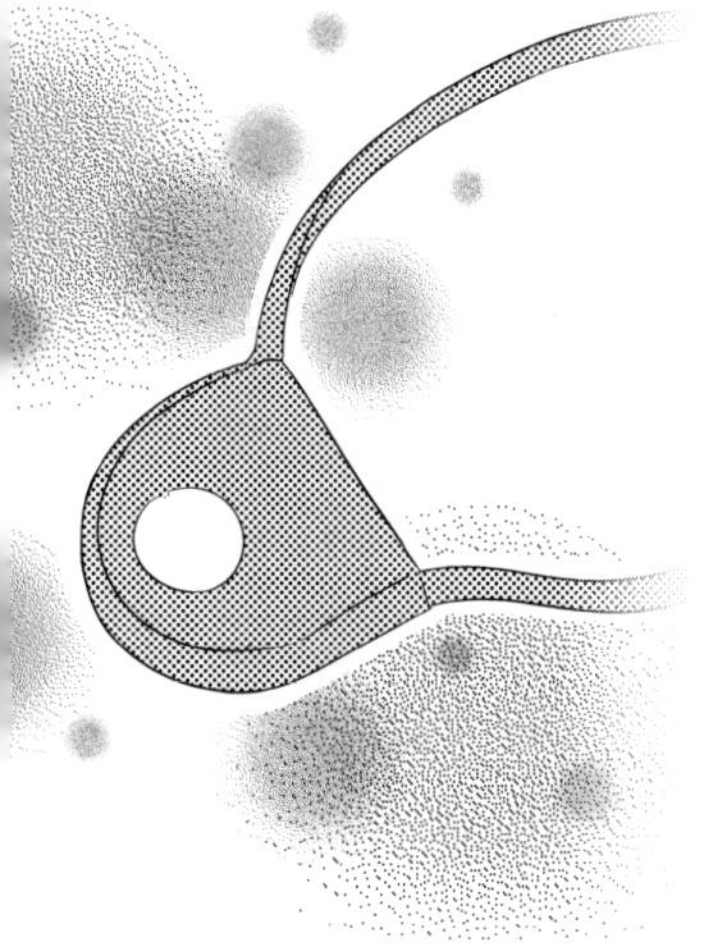

「ああ……いや、だからそれは……」

「会《あ》ったばかりの相手《あいて》に、鉄道《てつどう》ファンにとって大切《たいせつ》なアクセサリーを渡《わた》すなんて、おかしいと思《おも》っていたんだ。だから、健太《けんた》くんが身《み》につけているアクセサリーに向《む》かって、足《あし》をけがしたとウソをついたんだよ。どこかで聞《き》いているかもしれないキミを油断《ゆだん》させて、キミより早《はや》く、方解石《ほうかいせき》を手《て》に入《い》れるためにね」

隼《はやぶさ》は驚《おどろ》き、目《め》を丸《まる》くした。

「そんな、まさか……です」

「そうやってぼくたちの会話《かいわ》と居場所《いばしょ》を監視《かんし》して、どう行動《こうどう》すればいいか、キミが命令《めいれい》を出《だ》していたんだ。お父《とう》さんとお兄《にい》さん……いや、2人《ふたり》の部下《ぶか》にね」

「2人《ふたり》の部下《ぶか》ですって？　いったいどういうことなの⁉」

「……何《なに》を証拠《しょうこ》にそんなこと言《い》うんですか、真実《しんじつ》くん」

「キミがスマホを落《お》とした瞬間《しゅんかん》、ミステリー男爵《だんしゃく》が画《が》面《めん》から姿《すがた》を消《け》した。その答《こた》えはただ1《ひと》つ。

最初《さいしょ》からずっと、キミがスマホですべてを操作《そうさ》していたんだ。あらかじめ用意《ようい》した映像《えいぞう》や音《おん》声《せい》をモニターに流《なが》してね。さあ、そろそろ正体《しょうたい》を明《あ》かしたらどうだい？　ミステリー男爵《だんしゃく》」

「ええっ!?　隼《はやぶさ》くんがミステリー男爵《だんしゃく》!?」

健太《けんた》は目《め》を丸《まる》くして、隼《はやぶさ》を見《み》つめた。

うなだれた隼《はやぶさ》の肩《かた》がしだいに震《ふる》えだす。どうやら笑《わら》っているようだ。

「ククク…………すばらしい推理《すいり》です。いかにも、わたしがミステリー男爵《だんしゃく》でありますよ」

「隼《はやぶさ》くん……！　いったいどうして!?　ぼくたちは友達《ともだち》のはずだよね？」

「やれやれ、本当《ほんとう》にキミはお人《ひと》よしですね。キミは友達《ともだち》なんかじゃない。謎野《なぞの》真実《しんじつ》を倒《たお》すために利用《りよう》できる道具《どうぐ》にしかすぎません」

「謎野《なぞの》真実《しんじつ》を倒《たお》す……!?」

「そう。それがこのミステリートレインツアーのただ1《ひと》つの目的《もくてき》です。さあ、次《つぎ》は特別《とくべつ》に用《よう》意《い》したスペシャルステージですよ。そこで決着《けっちゃく》をつけましょう、真実《しんじつ》くん」

3

SCIENCE TRICK DATA FILE

科学《かがく》トリック データファイル

岩石《がんせき》の種類《しゅるい》と特徴《とくちょう》

地球《ちきゅう》の表面《ひょうめん》の大部分《だいぶぶん》をおおっている岩石《がんせき》は、でき方《かた》や混《ま》ざっている鉱物《こうぶつ》によって様々《さまざま》な種類《しゅるい》があります。

火成岩《かせいがん》

マグマが冷《ひ》えて固《かた》まった岩石《がんせき》。固《かた》まる場所《ばしょ》によって種類《しゅるい》の違《ちが》う岩《いわ》ができる

火山岩《かざんがん》

マグマが地表近《ちひょうちか》くで急《きゅう》に冷《ひ》えて固《かた》まったもの。玄武岩《げんぶがん》など

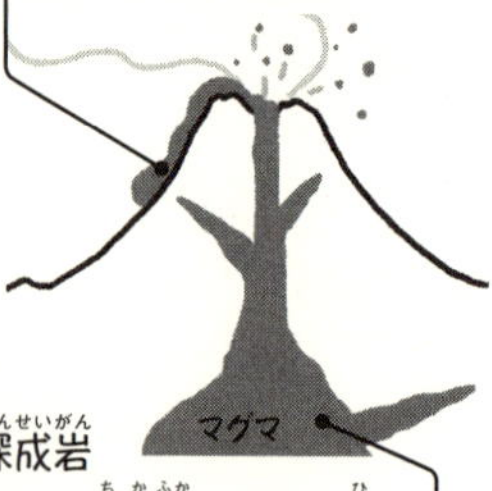

深成岩《しんせいがん》

マグマが地下深《ちかふか》くでゆっくり冷《ひ》えて固《かた》まったもの。花崗岩《かこうがん》など

花崗岩《かこうがん》の「鉱物《こうぶつ》」を見《み》てみよう

「鉱物《こうぶつ》」は金属《きんぞく》やケイ素《そ》、酸素《さんそ》などの元《げん》素《そ》の集《あつ》まり（化合物《かごうぶつ》）。様々《さまざま》な色《いろ》があり、その混《ま》ざり具合《ぐあい》によって、岩石《がんせき》の色《いろ》は変《か》わる

変成岩《へんせいがん》

堆積岩《たいせきがん》や火成岩《かせいがん》が高温《こうおん》や高《たか》い圧力《あつりょく》を受《う》けて変化《へんか》した岩石《がんせき》。大理石《だいりせき》などがある

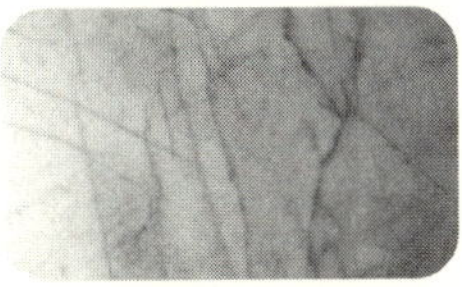

大理石はビルの床などにもつかわれているよ。

堆積岩《たいせきがん》

岩石《がんせき》がこわれてできた小石《こいし》や砂《すな》、泥《どろ》が固《かた》まった岩石《がんせき》

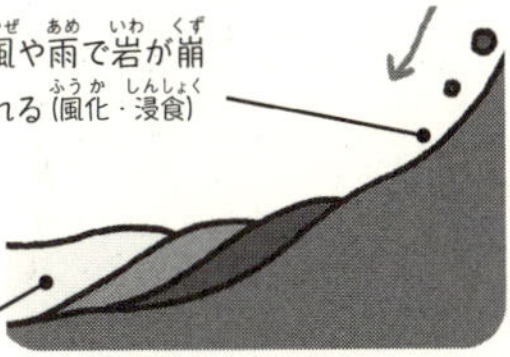

風《かぜ》や雨《あめ》で岩《いわ》が崩《くず》れる（風化《ふうか》・浸食《しんしょく》）

崩《くず》れてできた砂《すな》や小石《こいし》が雨《あめ》や風《かぜ》で運《はこ》ばれ水《みず》の底《そこ》にたまる（堆積《たいせき》）

たまるものによって礫岩《れきがん》、砂岩《さがん》、泥岩《でいがん》、石灰岩《せっかいがん》などができる

長石《ちょうせき》
白色《しろいろ》、うすもも色《しょく》も。
表面《ひょうめん》は平《たい》らなものが多《おお》い。

石英《せきえい》
白《しろ》っぽい石《いし》が多《おお》い
無色透明《むしょくとうめい》な六角柱《ろっかくちゅう》のものは「水晶《すいしょう》」とも呼《よ》ぶ

黒雲母《くろうんも》
黒《くろ》い石《いし》が多《おお》い
薄《うす》く紙《かみ》のように剥《は》がれる

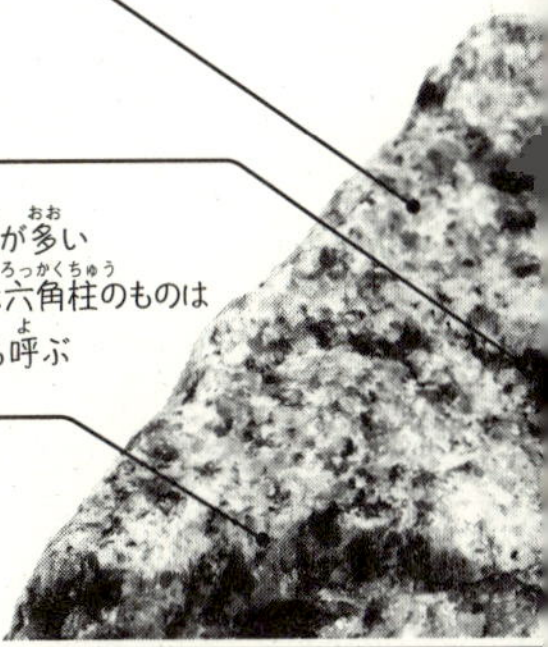

暴《ぼう》走《そう》する機《き》関《かん》車《しゃ》!

ミステリートレイン4

真実《しんじつ》たちはケーブルカーに乗《の》り、スペシャルステージがあるという地上《ちじょう》へと向《む》かう。

「まさか、隼《はやぶさ》くんがミステリー男爵《だんしゃく》だったなんて」

戸惑《とまど》いを隠《かく》せない健太《けんた》に、真実《しんじつ》と美希《みき》はなんと言《い》えばいいのかわからなかった。

やがて、ケーブルカーが地上《ちじょう》に到着《とうちゃく》し、真実《しんじつ》たちは車両《しゃりょう》の外《そと》に出《で》た。

そこは、小《ちい》さな駅舎《えきしゃ》のようだ。すりガラスごしに夕日《ゆうひ》が差《さ》し込《こ》んでいる。

「さあ、夜《よる》になる前《まえ》に決着《けっちゃく》をつけるです」

真実《しんじつ》たちの前《まえ》に、隼《はやぶさ》がやってきた。

「それではついてきてください」

そう言《い》って、駅舎《えきしゃ》を出《で》ていこうとする隼《はやぶさ》に、健太《けんた》が声《こえ》をかけた。

「隼《はやぶさ》くんがミステリー男爵《だんしゃく》だったってことは、このツアーもキミが考《かんが》えたってこと？」

隼《はやぶさ》は立《た》ち止《ど》まると、「ええ」と答《こた》えた。そして、ちらりと真実《しんじつ》を見《み》た。

「先《さき》ほども言《い》いましたが、ボクの目的《もくてき》は謎野真実《なぞのしんじつ》くん、キミを倒《たお》すことなのです」

「それって、どういうことなの？」

問《と》いかける健太《けんた》をよそに、隼《はやぶさ》はおもむろに手《て》帳《ちょう》を取《と》り出《だ》す。

手《て》帳《ちょう》の表《ひょう》紙《し》には、大《おお》きなマークが描《えが》かれていた。

「そのマークは……」

真実《しんじつ》はマークをじっと見《み》つめた。ホームズ学園《がくえん》の校章《こうしょう》を逆《さか》さにしたマーク。悪魔《あくま》の顔《かお》をしたデビルホームズのエンブレムだ。

「どうして、隼《はやぶさ》くんがそれを持《も》ってるの？」

健太《けんた》の言葉《ことば》に、隼《はやぶさ》はニヤリと笑《わら》った。

「**ボクが、デビルホームズの一員《いちいん》だからに決《き》まっているじゃないですか。**さらに言《い》えば、ボクは幹《かん》部《ぶ》候《こう》補《ほ》生《せい》なんです。真実《しんじつ》くん、キミに勝負《しょうぶ》を挑《いど》

デビルホームズ
謎野真実《なぞのしんじつ》の出身校《しゅっしんこう》・ホームズ学園《がくえん》の元学園長《もとがくえんちょう》である飯《いい》島善《じまぜん》が率《ひき》いる秘密組織《ひみつそしき》。ホームズ学園《がくえん》の校章《こうしょう》を逆《さか》さにした悪魔《あくま》の顔《かお》をエンブレムとする。

み、勝《か》つことができれば、ボクは試験《しけん》に合格《ごうかく》、つまり、幹部《かんぶ》になることができるです。そこで、このミステリートレインツアーをしかけたのですよ」

「幹部《かんぶ》？　ツアーをしかけた⁇　だけど待《ま》って。そもそも真実《しんじつ》くんをツアーに誘《さそ》ったのはぼくだよ？」

「ええ、健太《けんた》くん、それも計算《けいさん》のうちですよ。真実《しんじつ》くんをただ誘《さそ》ってもツアーにはまず参加《さんか》しないでしょう。だけど、キミから誘《さそ》えば乗《の》ってくると思《おも》ったです」

「『3人1組《にんひとくみ》』という条件《じょうけん》は、ぼくを確実《かくじつ》に参加《さんか》させるためだったんだね。そのねらいは正《ただ》しかったよ、隼《はやぶさ》くん」

真実《しんじつ》は、かすかに笑《え》みを浮《う》かべた。

「万《まん》が一《いち》、誘《さそ》いに乗《の》らなくても、《**誰《だれ》にも絶対《ぜったい》に解《と》くことができない謎《なぞ》が待《ま》っています！**》と書《か》いておけば、謎《なぞ》を解《と》くのが大好《だいす》きな真実《しんじつ》くんなら必《かなら》ず参加《さんか》すると思《おも》ってたですよ。方解石《ほうかいせき》をすり替《か》えて父《ちち》と兄《あに》、いや、部下《ぶか》たちを脱落《だつらく》させたのはさすがでしたね。まあ、真実《しんじつ》くんがあそこで落《お》ちるようなら、ボクのライバルになることはできませんがね」

隼《はやぶさ》も、不敵《ふてき》に笑《わら》う。

そんな隼《はやぶさ》を、美希《みき》がにらみつけた。

「真実《しんじつ》くんと勝負《しょうぶ》をしたいがために、みんなを危険《きけん》な目《め》にあわせたっていうの？」

凛《りん》やハマセンなど参加者《さんかしゃ》たちはみな、危険《きけん》な謎解《なぞと》きに挑戦《ちょうせん》して脱落《だつらく》していったのだ。

「彼《かれ》らは、真実《しんじつ》くんにツアーが本物《ほんもの》だと思《おも》わせるための、ただの道具《どうぐ》です。早《はや》く真実《しんじつ》くんと真剣勝負《しんけんしょうぶ》がしたかったので、部下《ぶか》たちを使《つか》って参加者《さんかしゃ》としてもぐりこみ、いろいろなしかけをしてほかの人々《ひとびと》にはさっさと退場《たいじょう》していただきました。少《すこ》し手《て》ごたえのある参加者《さんかしゃ》も欲《ほ》しかったので凛《りん》くんたちも呼《よ》びましたが、すぐに脱落《だつらく》してしまったのは残念《ざんねん》でした」

「なに言《い》ってるのよ、ふざけないで！」

「安心《あんしん》してください。彼《かれ》らはちゃーんと無事《ぶじ》ですよ」

隼《はやぶさ》は指《ゆび》をパチンと鳴《な》らした。

次《つぎ》の瞬間《しゅんかん》、駅舎《えきしゃ》の壁《かべ》にモニターが現《あらわ》れた。そして、凛《りん》やハマセンをはじめとする参加者《さんかしゃ》たちが部屋《へや》に閉《と》じ込《こ》められている姿《すがた》が映《うつ》し出《だ》された。

「切《き》り離《はな》された客車《きゃくしゃ》の脱落者《だつらくしゃ》たちは、ボクの協力者《きょうりょくしゃ》であるデビルホームズの人間《にんげん》が別《べつ》の列車《れっしゃ》で回収《かいしゅう》していています。石《いし》の神殿《しんでん》で落《お》ちた脱落者《だつらくしゃ》も一緒《いっしょ》に、とある場所《ばしょ》に入《はい》ってもらっていま

すよ」

「みんな！」

健太《けんた》と美希《みき》はモニターに駆《か》け寄《よ》る。しかし、こちらの声《こえ》は聞《き》こえていないようだ。

「ボクが今《いま》から出《だ》す問題《もんだい》を真実《しんじつ》くんが解《と》くことができれば、彼《かれ》らを安全《あんぜん》な場所《ばしょ》に解放《かいほう》すると約束《やくそく》しましょう。**だけど、解《と》くことができなければ、彼《かれ》らを解放《かいほう》するのは雪《ゆき》に閉《と》ざされた山《やま》の中《なか》ですよ。ククク**ッ」

「もうすぐ夜《よる》だよ。そんなところで放《ほう》り出《だ》されたら遭難《そうなん》しちゃうよ！」

「だったら、真実《しんじつ》くんがボクの出《だ》す謎《なぞ》を解《と》くしかないですね。無理《むり》だと思《おも》いますけど」

「隼《はやぶさ》くん……」

真実《しんじつ》は真剣《しんけん》な表情《ひょうじょう》になると、隼《はやぶさ》の前《まえ》に立《た》った。

「キミがデビルホームズの人間《にんげん》だとわかった以上《いじょう》、放《ほう》っておくことはできない。**どんなナゾでも必《かなら》ず解《と》いてみせる！**」

強《つよ》い口調《くちょう》で言《い》う。科学《かがく》を悪用《あくよう》するデビルホームズを、真実《しんじつ》は許《ゆる》すことができなかったのだ。

「いいでしょう。ではこちらへ」

隼《はやぶさ》は笑《え》みを浮《う》かべながら、駅舎《えきしゃ》を出《で》ていく。

「行《い》こう」

真実《しんじつ》の言葉《ことば》に、健太《けんた》と美希《みき》はうなずくと、隼《はやぶさ》のあとに続《つづ》き駅舎《えきしゃ》を出《で》た。

次《つぎ》の瞬間《しゅんかん》、健太《けんた》と美希《みき》は目《め》を大《おお》きく見開《みひら》いた。

崖《がけ》の下《した》のような場所《ばしょ》にレールが敷《し》かれていて、真《ま》っ黒《くろ》な蒸気機関車《じょうききかんしゃ》が停車《ていしゃ》していたのだ。

ビッグディッパーと違《ちが》い、古《ふる》めかしい客車《きゃくしゃ》を連結《れんけつ》している。

隼《はやぶさ》はそれを誇《ほこ》らしげに見《み》ながら、健太《けんた》たちに話《はな》しかける。

「蒸気機関車《じょうききかんしゃ》は、運転室《うんてんしつ》にある火室《かしつ》で石炭《せきたん》を燃《も》やすことにより、蒸気《じょうき》を発生《はっせい》させて、その蒸《じょう》気《き》の力《ちから》で列車《れっしゃ》を動《うご》かすのです。動《うご》かすときには電力《でんりょく》などはいっさい使《つか》わないんですよ。もっとも生《い》き物《もの》に近《ちか》い乗《の》り物《もの》。それがSL《エスエル》、蒸気機関車《じょうききかんしゃ》です。**このSL《エスエル》はボクの宝物《たからもの》なのです**」

真実《しんじつ》はSL《エスエル》をじっと見《み》つめた。

「このSL《エスエル》が、スペシャルステージってことかい？」

「さすが真実《しんじつ》くん、そのとおりです。さあ、みなさん、客車《きゃくしゃ》に乗《の》ってください。そこで謎解《なぞと》きをしていただきたいと思《おも》います」

隼《はやぶさ》はいちばん前の客車《きゃくしゃ》に乗《の》り込《こ》む。真実《しんじつ》もそれに続《つづ》く。

「わたしたちも行《い》きましょう」

「う、うん」

健太《けんた》たちもあわてて客車《きゃくしゃ》に乗《の》り込《こ》んだ。


「どうです？　すばらしいでしょう」

客車《きゃくしゃ》の座席《ざせき》は、すべて緑色《みどりいろ》のシートで木製《もくせい》の背《せ》もたれがついていた。壁《かべ》も床《ゆか》もすべて木製《もくせい》だ。

「SL《エスエル》が全国《ぜんこく》で走《はし》っていたころに使《つか》われていた客車《きゃくしゃ》なんですよ」

隼《はやぶさ》はうれしそうに車内《しゃない》を見渡《みわた》す。

「SL《エスエル》は運転室《うんてんしつ》で機関士《きかんし》がブレーキやアクセルを操作《そうさ》し、機関助士《きかんじょし》がタイミングをみはからって必要《ひつよう》な燃料《ねんりょう》、つまり石炭《せきたん》を補給《ほきゅう》します。このSL《エスエル》は、それらをすべてAI《エーアイ》による自動《じどう》制御《せいぎょ》で行《おこな》っているんです。**もちろんこの列車《れっしゃ》や路線《ろせん》にも、事故《じこ》が起《お》こらないような最新鋭《さいしんえい》の**

8823
隼
HAYABUSA

しくみがちゃんと整《ととの》えられているので安心《あんしん》してください。鉄道《てつどう》を安全《あんぜん》に走《はし》らせるのは、ボクの使命《しめい》ですから」

「なにが安全《あんぜん》よ！　みんなをあれだけ危険《きけん》な目《め》にあわせてるくせに」

怒《いか》りをあらわにする美希《みき》の横《よこ》で、真実《しんじつ》は口元《くちもと》に手《て》を当《あ》て、車内《しゃない》をじっくり見回《みまわ》した。

一方《いっぽう》、健太《けんた》は戸惑《とまど》いながら、隼《はやぶさ》のほうを見《み》た。

「ねえ隼《はやぶさ》くん、このSL《エスエル》はキミのなの？」

「ええ、さっきボクの宝物《たからもの》だと言《い》ったでしょう。『隼号《はやぶさごう》』です」

健太《けんた》はSL《エスエル》まで持《も》っている隼《はやぶさ》のケタ外《はず》れの金持《かねも》ち具合《ぐあい》に、あ然《ぜん》とした。

「隼号《はやぶさごう》が線路《せんろ》を走《はし》るのは初《はじ》めてです。その雄姿《ゆうし》を撮影《さつえい》させてもらいますよ」

隼《はやぶさ》はそう言《い》うと、ポケットからリモコンを取《と》り出《だ》し、操作《そうさ》しはじめた。

次《つぎ》の瞬間《しゅんかん》、SL《エスエル》と同《おな》じ真《ま》っ黒《くろ》な色《いろ》をしたドローンが外《そと》から飛《と》び込《こ》んできた。

ドローンにはアームがあり、小型《こがた》カメラが取《と》り付《つ》けられている。

「リモコンに付《つ》いている画面《がめん》で、ドローンのカメラで撮《と》った映像《えいぞう》をリアルタイムで見《み》ることができます。このドローンで、走《はし》る隼号《はやぶさごう》を空《そら》から撮影《さつえい》したいと思《おも》っているです」

「走《はし》る隼号《はやぶさごう》?」

健太《けんた》が首《くび》をかしげた瞬間《しゅんかん》、SL《エスエル》が大《おお》きく揺《ゆ》れた。

ポォオーッ

シュー　シュ　シュ　シュ　シュ　シュ

SL《エスエル》が音《おと》を立《た》てて、ゆっくりと前《まえ》に進《すす》みはじめた。

「さあ、出発《しゅっぱつ》、進行《しんこう》です! そして、ミステリーオープン!」

日《ひ》が落《お》ちていくなか、SL《エスエル》は崖《がけ》の下《した》に敷《し》かれたレールを走《はし》っていく。その速度《そくど》はだんだん速《はや》くなっていった。

隼《はやぶさ》は両手《りょうて》を広《ひろ》げ、真実《しんじつ》を見《み》た。

「スペシャルステージの問題《もんだい》。それは、10分以内《ぶんいない》にこのSL《エスエル》を停《と》めるというものです!」

「SL《エスエル》を停《と》める……」

「真実《しんじつ》くん、ボクのダイヤに遅延《ちえん》はありませんよ。**10分以内《ぶんいない》に問題《もんだい》を解《と》けなければ、人質《ひとじち》のみなさんは雪山《ゆきやま》の中《なか》で遭難《そうなん》することになります!**」

隼《はやぶさ》は自信満々《じしんまんまん》の表情《ひょうじょう》で言《い》う。勝負《しょうぶ》に勝《か》つ自信《じしん》がよほどあるようだ。

「そんな。どうすればいいの……⁇」

健太《けんた》はおろおろしながら、真実《しんじつ》のほうを見《み》る。

すると、真実《しんじつ》は健太《けんた》に優《やさ》しくほほえんだ。

「だいじょうぶ。ナゾを解《と》けば、みんなを助《たす》けることができるよ」

真実《しんじつ》は隼《はやぶさ》に負《ま》けるつもりなど、まったくなかったのだ。

「まあ、せいぜいがんばってみてください。謎解《なぞと》きタイム、スタートです！」

隼《はやぶさ》はドローンを飛《と》ばす準備《じゅんび》をしながら、余裕《よゆう》の笑《え》みを浮《う》かべる。

そんな隼《はやぶさ》を見《み》て、健太《けんた》は苦々《にがにが》しい表情《ひょうじょう》になった。

「こうなったらなにがなんでも止《と》めなきゃ。真実《しんじつ》くん、運転室《うんてんしつ》に行《い》こう！」

運転室《うんてんしつ》には操作《そうさ》をするための装置《そうち》がある。

それをうまく操作《そうさ》すれば、ＳＬ《エスエル》を停《と》められるかもしれないのだ。

健太《けんた》は連結部《れんけつぶ》の客車《きゃくしゃ》のドアを開《あ》け、いちばん前《まえ》にある運転室《うんてんしつ》に向《む》かおうとした。

だが、真実《しんじつ》はそんな健太《けんた》に声《こえ》をかける。

「運転室《うんてんしつ》に行《い》くのは不可能《ふかのう》だよ」

「どうして？」

「機関車《きかんしゃ》と客車《きゃくしゃ》の間《あいだ》には、蒸気《じょうき》を発生《はっせい》させるために使《つか》う石炭《せきたん》と水《みず》をためた炭水車《たんすいしゃ》がある。だから、運転室《うんてんしつ》へ移動《いどう》することはできないんだ」

「そんな！」

「それじゃあ、どうやって停《と》めればいいっていうのよ？」

あせって美希《みき》が言《い》う。

「ここは、発想《はっそう》を変《か》えないといけない。運転室《うんてんしつ》に入《はい》らずに、自動的《じどうてき》に非常《ひじょう》ブレーキをかける方法《ほうほう》があるはずなんだ。何《なに》かヒントがあるはず……」

真実《しんじつ》は、じっと考《かんが》え込《こ》む。隼《はやぶさ》がほほえむ。

「もし隼号《はやぶさごう》について聞《き》きたいことがあれば、どうぞです。答《こた》えられる質問《しつもん》ならば、ですがね」

「……では隼《はやぶさ》くん、1つ《ひと》聞《き》いてもいいだろうか」

「ええ、かまいませんです」

「このミステリートレインツアーでは、機関車《きかんしゃ》を停車《ていしゃ》させてから客車《きゃくしゃ》を切《き》り離《はな》していた。……これは、列車《れっしゃ》が走《はし》っているときに客車《きゃくしゃ》を切《き》り離《はな》すととても危険《きけん》なため、自動的《じどうてき》に非常《ひじょう》ブレーキがかかるしくみになっていたから、ということだったね？」

「ええ、確《たし》かにそのとおりです。ボクの手《て》がける列車《れっしゃ》は『フェールセーフ』の発想《はっそう》が必《かなら》ず組《く》み込《こ》まれています。愛《あい》する鉄道《てつどう》で大《おお》きな事故《じこ》は起《お》こしたくありませんからね」

「フェールセーフ？」

耳慣《みみな》れない言葉《ことば》に、健太《けんた》が反応《はんのう》する。真実《しんじつ》が言葉《ことば》を続《つづ》けた。

「『フェールセーフ』とは、機械《きかい》が故障《こしょう》したり、操作《そうさ》する人《ひと》がミスをしてしまったりしたときに、必《かなら》ず安全《あんぜん》な状態《じょうたい》になるように設計《せっけい》をすることなんだよ。そして、隼号《はやぶさごう》もフェールセーフの考《かんが》え方《かた》でつくられている……」

真実《しんじつ》の言葉《ことば》を聞《き》き、美希《みき》は「あっ」と声《こえ》をあげた。

「**そっか。じゃあ逆《ぎゃく》に考《かんが》えれば、この列車《れっしゃ》が走《はし》っているときに客車《きゃくしゃ》を切《き》り離《はな》したら、自動的《じどうてき》に**

非常《ひじょう》ブレーキがかかるってことなんじゃない？」

「それだ！　美希《みき》ちゃんさすが、逆転《ぎゃくてん》の発想《はっそう》だね！」

　興奮《こうふん》して声《こえ》をあげた健太《けんた》だが、その声《こえ》はすぐに小《ちい》さくなる。

「だけど美希《みき》ちゃん、どうやって客車《きゃくしゃ》を切《き》り離《はな》すの？」

「ええっとそれは、って、そんなのすぐにわかるわけないでしょ」

　頭《あたま》を抱《かか》えてしまった健太《けんた》と美希《みき》の横《よこ》で、真実《しんじつ》はじっと考《かんが》

「フェールセーフ」の例《れい》

たとえば
踏切《ふみきり》を動《うご》かす機械《きかい》が故障《こしょう》したら？

ほかにも....
列車検知装置《れっしゃけんちそうち》が故障《こしょう》したときには自動的《じどうてき》に信《しん》号《ごう》が赤《あか》になり、列車《れっしゃ》を停《と》めるようにできている。

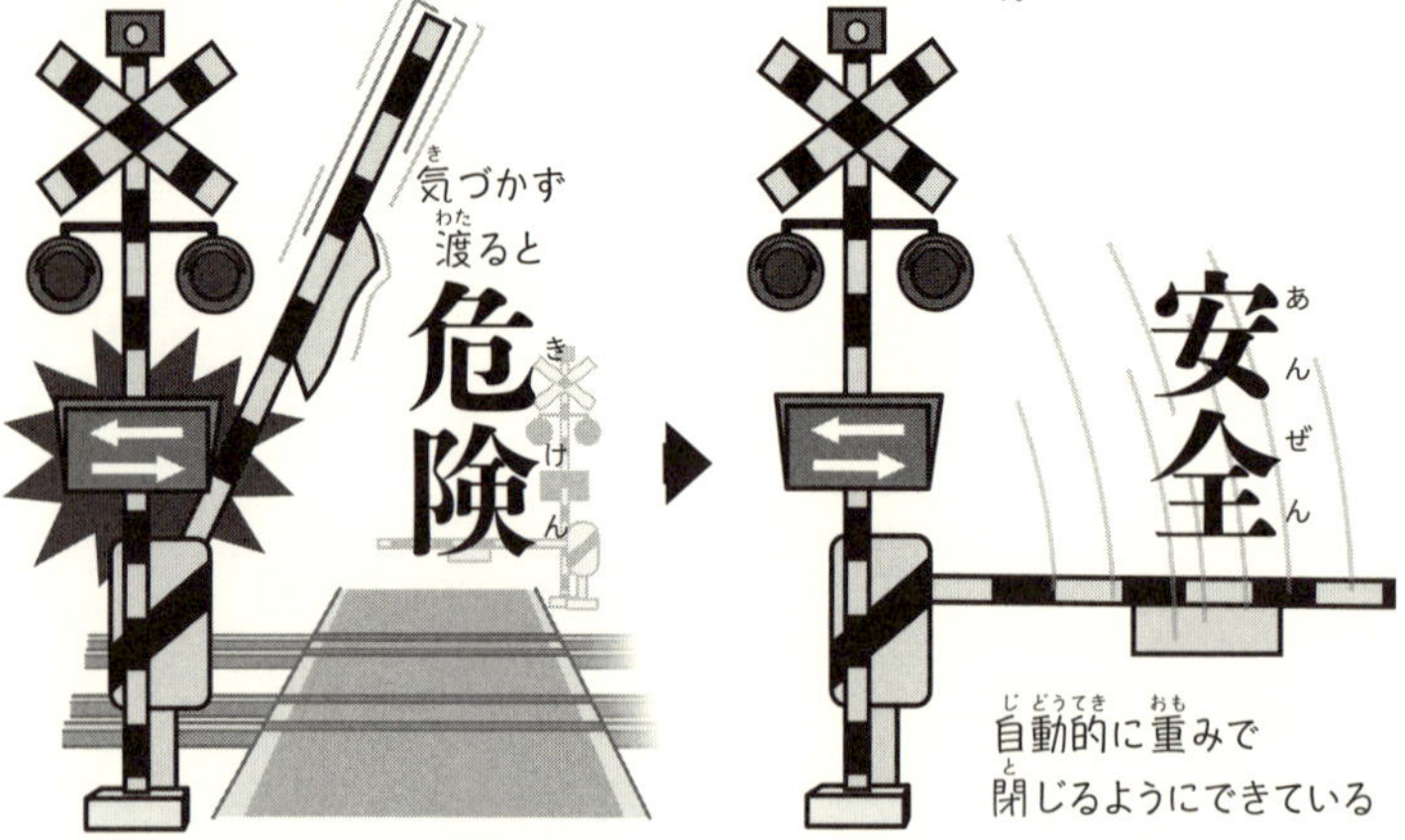
気《き》づかず
渡《わた》ると
危険《きけん》
安全《あんぜん》
自動的《じどうてき》に重《おも》みで
閉《と》じるようにできている

事故《じこ》が起《お》こってもなるべく安全《あんぜん》な状態《じょうたい》になるようにするしくみでつくられている。

えをめぐらせる。

「フェールセーフ……、切《き》り離《はな》し……」

3人《にん》のようすを見《み》て、隼《はやぶさ》が笑《わら》った。

「いいところまでいきましたね。確《たし》かに今《いま》、客車《きゃくしゃ》を無理《むり》やり切《き》り離《はな》せば、非常《ひじょう》ブレーキがかかるでしょう。でももちろん、連結器《れんけつき》はそんなに簡単《かんたん》には外《はず》れないです。ミステリートレインでも、ボクが操作《そうさ》しない限《かぎ》りは外《はず》れないしくみでしたよ」

健太《けんた》が焦《あせ》った声《こえ》をあげた。

「運転室《うんてんしつ》に行《い》けないんだから、どこか客車《きゃくしゃ》に列車全体《れっしゃぜんたい》を停《と》めるボタンとかあるんじゃないの？　ぼく、それを探《さが》してくるよ！」

「そんなボタンが、時間《じかん》までに見《み》つかるといいですね」

隼《はやぶさ》はまた、余裕《よゆう》の笑《え》みを見《み》せる。だが、真実《しんじつ》は健太《けんた》の言葉《ことば》にはっとした。

「客車《きゃくしゃ》……、そうか。この列車《れっしゃ》にも客車《きゃくしゃ》が連結《れんけつ》されている……。**健太《けんた》くん、ありがとう。ぼくは考《かんが》えすぎていたかもしれない。もっと単純《たんじゅん》に機関車《きかんしゃ》を停《と》める方法《ほうほう》が客車《きゃくしゃ》の中《なか》にあるはずだ**」

「ホント？　そんな便利《べんり》なボタンがあるの？」

「ボタンじゃないよ、健太《けんた》くん。実《じつ》は、ブレーキ装置《そうち》があるのは機関車《きかんしゃ》だけじゃない。客車《きゃくしゃ》にも『手《て》ブレーキ』がついている車両《しゃりょう》があるんだ。それを探《さが》すんだ！」

真実《しんじつ》は客車内《きゃくしゃない》を見回《みまわ》し、車両《しゃりょう》のうしろのほうに走《はし》っていった。車両《しゃりょう》の端《はし》に、床《ゆか》からのびた鉄《てつ》の棒《ぼう》に取《と》り付《つ》けられていたハンドルがあった。

「これだ！」

真実《しんじつ》はそのハンドルを回《まわ》した。

キキキッ

外《そと》でブレーキがかかる音《おと》がした。しかし、列車《れっしゃ》は動《うご》き続《つづ》けている。

「真実《しんじつ》くん、ダメだ。まだ列車《れっしゃ》は動《うご》いてる！」

健太《けんた》の叫《さけ》びに、隼《はやぶさ》が口《くち》をはさんできた。

「手《て》ブレーキに気《き》づいたのはさすがです。でも真実《しんじつ》くんなら知《し》っているでしょう？　手《て》ブレーキはあくまで補助的《ほじょてき》な役割《やくわり》でしかないんですよ」

だが、真実《しんじつ》は言《い》い返《かえ》す。

「1両《りょう》のブレーキをかけただけなら、機関車《きかんしゃ》が引《ひ》っ張《ぱ》る力《ちから》のほうが客車《きゃくしゃ》の重《おも》さを上回《うわまわ》るから機関車《きかんしゃ》は動《うご》き続《つづ》ける。しかし、この列車《れっしゃ》には複数客車《ふくすうきゃくしゃ》が連結《れんけつ》されている。どれも立派《りっぱ》でしっかりした客車《きゃくしゃ》だから、すべての手《て》ブレーキを操作《そうさ》すれば、機関車《きかんしゃ》が引《ひ》っ張《ぱ》る力《ちから》を客車《きゃくしゃ》の重《おも》さが上回《うわまわ》るはずだ」

「そうすると……」

「機関車《きかんしゃ》が動《うご》いていても、列車《れっしゃ》は停《と》まるんだ。これが正解《せいかい》だろう、隼《はやぶさ》くん。さあ、2人《ふたり》とも急《いそ》いで。ほかの客車《きゃくしゃ》のブレーキをかけにいこう！」

「う、うん！」

真実《しんじつ》たちは、ほかの客車《きゃくしゃ》へと走《はし》った。

3人《にん》は手分《てわ》けをして、次々《つぎつぎ》と客車《きゃくしゃ》にある手《て》ブレーキのハンドルを回《まわ》していく。

そのたびに、外《そと》でブレーキのかかる音《おと》が響《ひび》く。

「さあ、これが最後《さいご》のブレーキだ！」

最後尾《さいこうび》の客車《きゃくしゃ》まで来《き》た真実《しんじつ》たちは、力《ちから》を合《あ》わせて手《て》ブレーキを動《うご》かした。

キキキッ　キイイイイ～

機関車《きかんしゃ》は煙《けむり》を吐《は》き続《つづ》けながら、客車《きゃくしゃ》に引《ひ》っ張《ぱ》られるように、前進《ぜんしん》をとめた。

「ホントに停《と》まった……」

「すごいわね」

健太《けんた》たちは、真実《しんじつ》とともにいちばん前《まえ》の客車《きゃくしゃ》に戻《もど》ってきた。

隼《はやぶさ》はドローンとリモコンを持《も》ったまま、悔《くや》しさで赤《あか》い顔《かお》になっていた。

「制限時間内《せいげんじかんない》に列車《れっしゃ》を停《と》めましたね、真実《しんじつ》くん。手《て》ブレーキのことに気《き》づいたのはさすがです。しかし、３人《にん》で協力《きょうりょく》しなければ、制限時間内《せいげんじかんない》に停《と》めることはできなかったはずだ……」

隼《はやぶさ》は、まだ負《ま》けたことを認《みと》められないようだった。

「なによ！　まだ負《ま》け惜《お》しみ言《い》ってるの！」

美希《みき》が叫《さけ》んだ、そのとき――。

ジリリリリッ

運転室《うんてんしつ》のほうから大《おお》きな音《おと》が聞《き》こえてきた。

「隼《はやぶさ》くん、まだ何《なに》かしかけてるの？」

健太《けんた》がたずねると、隼《はやぶさ》は首《くび》を大《おお》きく横《よこ》に振《ふ》った。

「いや、残念《ざんねん》ですが、ボクのしかけはもう出《だ》し尽《つ》くしたです。あの音《おと》はいったい何《なん》なんでしょう？」

隼《はやぶさ》はドローンとリモコンを持《も》ったまま客車《きゃくしゃ》のドアから外《そと》へ出《で》ると、運転室《うんてんしつ》へ向《む》かった。

真実《しんじつ》たちも隼《はやぶさ》に続《つづ》く。

運転室《うんてんしつ》の中《なか》に入《はい》ると、一同《いちどう》は「あっ」と声《こえ》をあげた。

運転室《うんてんしつ》の壁《かべ》にモニターが設置《せっち》されていて、１人《ひとり》の男《おとこ》が映《うつ》っていたのだ。


「やはり、こういう結果《けっか》になったようだね」

「あなたは――」

真実《しんじつ》はモニターに近《ちか》づくと、その男《おとこ》をにらんだ。

ホームズ学園《がくえん》の元学園長《もとがくえんちょう》で、かつて真実《しんじつ》の前《まえ》に立《た》ちはだかったデビルホームズのリーダー・飯島善《いいじまぜん》だ。

「隼《はやぶさ》くん、キミでは真実《しんじつ》くんには勝《か》てないと思《おも》っていたよ」

「飯島《いいじま》さん！　そんなことありません。もう一度勝負《いちどしょうぶ》をすれば今度《こんど》はきっと勝《か》つです。

さっきの謎解《なぞと》きも……」

「言《い》い訳《わけ》はけっこう。もう一度《いちど》？　世《よ》の中《なか》、何度《なんど》もチャンスがあると思《おも》ったら困《こま》るねえ。キミには幻滅《げんめつ》した。罰《ばつ》を受《う》けてもらうよ」

「罰《ばつ》？」

瞬間《しゅんかん》、ガチャンと大《おお》きな音《おと》がした。

「今《いま》の音《おと》は何《なに》？」

「客車《きゃくしゃ》を切《き》り離《はな》したのだよ」

「えっ!?」

次《つぎ》の瞬間《しゅんかん》、SL《エスエル》だけが、再《ふたた》び動《うご》きはじめた。

「隼《はやぶさ》くんがつくった自動運転《じどううんてん》のしくみを乗《の》っ取《と》らせてもらった。電波《でんぱ》により遠隔《えんかく》で操作《そうさ》していて、列車《れっしゃ》はこれからこちらの思《おも》いどおりに動《うご》くようになる。ちなみにこの先《さき》は鉄橋《てっきょう》が昔《むかし》の災害《さいがい》で崩《くず》れ落《お》ちてしまっていて、崖《がけ》になっているよ」

「ええっ？　それじゃあこのまま走《はし》れば落《お》ちちゃうってこと？」

「そんな、どうすればいいのよ!?」

SL《エスエル》はさらにスピードが増《ま》していく。健太《けんた》と美希《みき》はパニックになる。

そんななか、飯島《いいじま》は真実《しんじつ》に話《はな》しかけた。

「さあ、真実《しんじつ》くん。キミにはたった1つ《ひと》の選択肢《せんたくし》しかない。列車《れっしゃ》を停《と》めてほしければ、デビルホームズに入《はい》るんだ」

「なんだって？」

「キミはわが組織《そしき》に必要《ひつよう》な人材《じんざい》だからねぇ」

飯島《いいじま》の言葉《ことば》に、健太《けんた》は戸惑《とまど》いながらも真実《しんじつ》のほうを見《み》る。

真実《しんじつ》は、今《いま》まで見《み》たことのないような怒《いか》りに満《み》ちた表情《ひょうじょう》になっていた。

「誰《だれ》がデビルホームズなんかに入《はい》るものか」

「ほおー、では、そこにいる親友《しんゆう》たちがどうなってもいいのかね？　キミのくだらない正義《せいぎ》感《かん》のせいで、全員《ぜんいん》、崖《がけ》から落《お》ちてしまう。それで本当《ほんとう》にいいのかね？」

「……」

「まあ、手段《しゅだん》があると思《おも》うなら、試《ため》してみるがいい。くっくっく」

飯島《いいじま》の不敵《ふてき》な笑《わら》い声《ごえ》とともに、モニターの映像《えいぞう》が消《き》えた。

「もう終《お》わりです……」

隼《はやぶさ》は泣《な》きそうな表情《ひょうじょう》で、その場《ば》に座《すわ》り込《こ》んでしまう。

真実《しんじつ》も悔《くや》しそうな表情《ひょうじょう》になった。

「このままでは崖《がけ》に落《お》ちてしまう。ぼくがデビルホームズに入《はい》るしか、助《たす》かる方法《ほうほう》はないのか……」

そのとき、健太《けんた》が声《こえ》をあげた。

「なに言《い》ってるんだよ！　真実《しんじつ》くんならきっとこの列車《れっしゃ》も停《と》められる！

科学《かがく》、ううん、真実《しんじつ》くんに解《と》けないナゾはないんでしょ!?」

美希《みき》も「そうよ！」と同調《どうちょう》した。

「真実《しんじつ》くんならできる！　あんな人《ひと》の言《い》いなりになんか、絶対《ぜったい》ならないで！」

「健太《けんた》くん、美希《みき》さん……」

そのとき、真実《しんじつ》はハッとして、隼《はやぶさ》のほうを見《み》た。

隼《はやぶさ》はドローンとリモコンを持《も》っている。

「もしかしたら、隼《はやぶさ》くん……。フェールセーフだよ」

「……どういうことです？」

「隼号《はやぶさごう》はフェールセーフの思想《しそう》が入《はい》っている。つまり、異常《いじょう》な事態《じたい》を引《ひ》き起《お》こすことができたら、このSL《エスエル》は非常《ひじょう》ブレーキがかかるようになっている。そうだろう？」

「そ、そうですね。鉄道《てつどう》は安全第一《あんぜんだいいち》ですから」

それを聞《き》いて、健太《けんた》が首《くび》をかしげる。

「ちょっと待《ま》って。だったら遠隔操作《えんかくそうさ》されている今《いま》が異常《いじょう》な状態《じょうたい》なんじゃないの？」

しかしその言葉《ことば》に、真実《しんじつ》は「逆《ぎゃく》だよ」と答《こた》えた。

「今《いま》、機関車《きかんしゃ》がきちんと動《うご》いているということは、遠隔操作《えんかくそうさ》されているこの状態《じょうたい》こそが、S《エス》L《エル》にとって正常《せいじょう》な状態《じょうたい》なんだ」

「そっかあ。じゃあここから異常《いじょう》な状態《じょうたい》を起《お》こすって、どうやれば……」

困惑《こんわく》する健太《けんた》を見《み》て、真実《しんじつ》は笑《え》みを浮《う》かべた。

「遠隔操作《えんかくそうさ》されていることが正常《せいじょう》なんだから、異常《いじょう》な状態《じょうたい》といえばどういうことか、わかるよね。**科学《かがく》で解《と》けないナゾはない。**隼《はやぶさ》くんの持《も》っているドローンを使《つか》えば、その状態《じょうたい》を作《つく》り出《だ》すことが可能《かのう》になるんだ」

今《いま》、列車《れっしゃ》は
どうやって動《うご》いているか
考《かんが》えてみよう

解《かい》決《けつ》編《へん》

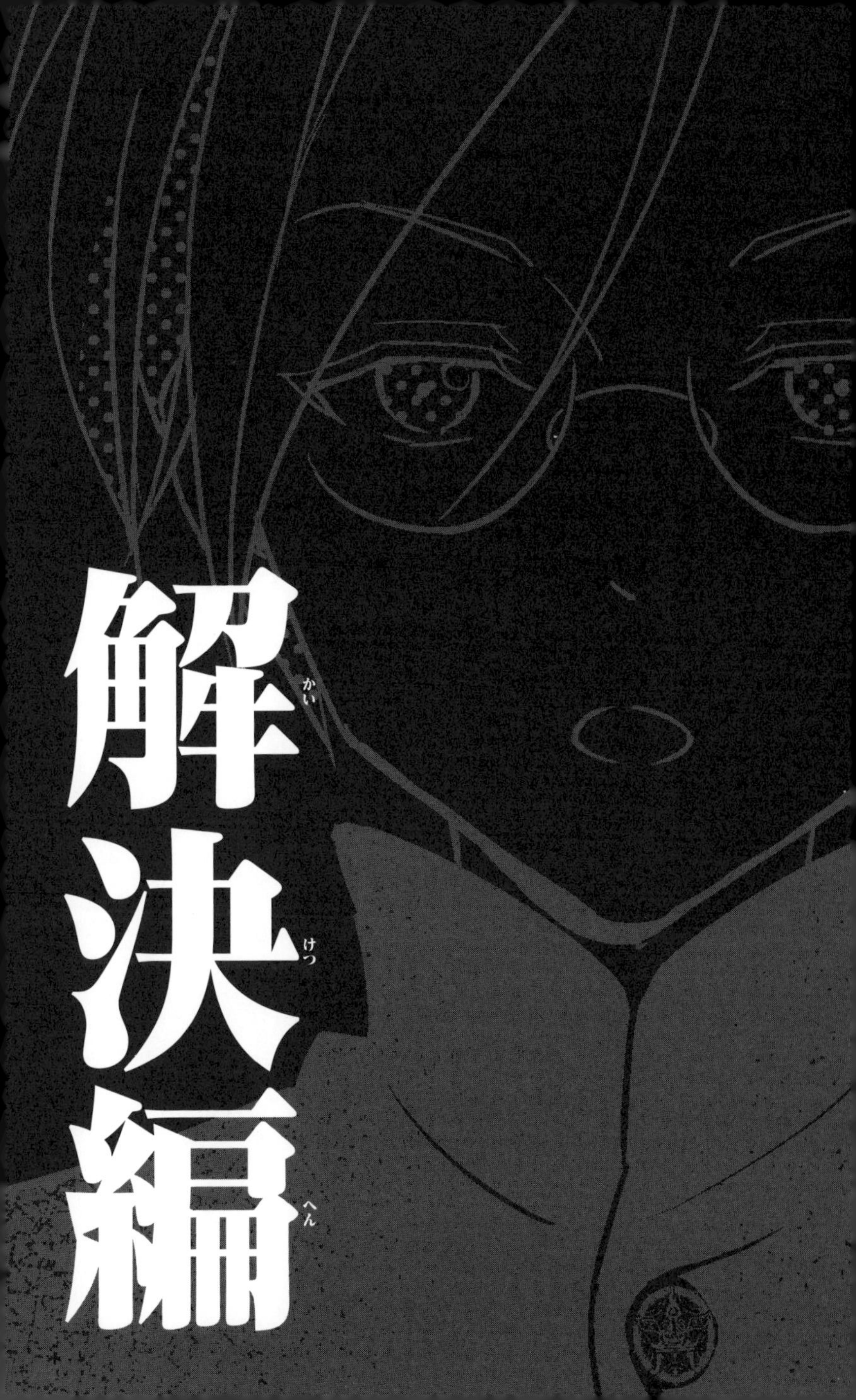

真実《しんじつ》は、隼《はやぶさ》にたずねた。

「そのドローンは、もしかして飯島善《いいじまぜん》から借《か》りたものじゃないのかい？」

「ええ。よくわかりましたね。あの人《ひと》は、『SL《エスエル》に乗《の》ったら飛《と》ばしているあいだ以外《いがい》はちゃんと持《も》っておくように』と言《い》っていました。結局《けっきょく》、機関車《きかんしゃ》が走《はし》る雄姿《ゆうし》を撮影《さつえい》する余裕《よゆう》はありませんでしたが」

隼《はやぶさ》はドローンを見《み》ながらそう答《こた》えた。すると、真実《しんじつ》が首《くび》を横《よこ》に振《ふ》った。

「おそらく、それは走《はし》っている機関車《きかんしゃ》の雄姿《ゆうし》を撮影《さつえい》するためにキミに渡《わた》したんじゃない」

「どういうことですか？」

真実《しんじつ》は隼《はやぶさ》の持《も》っていたリモコンを手《て》に取《と》った。

「ドローンを床《ゆか》に置《お》いて」

「え？　あ、はい」

真実《しんじつ》はリモコンを操作《そうさ》して、床《ゆか》に置《お》かれたドローンを宙《ちゅう》に浮《う》かせた。

ドローンはそのまま運転室《うんてんしつ》の外《そと》に飛《と》んでいった。

「真実《しんじつ》くん、何《なに》をするつもりなの？」

「このドローンで、機関車《きかんしゃ》のどこかに付《つ》いている、あるものを見《み》つけるんだ」

「あるものって?」

「飯島善《いいじまぜん》は電波《でんぱ》による遠隔操作《えんかくそうさ》で列車《れっしゃ》を動《うご》かしていると言《い》っていた。つまり、機関車《きかんしゃ》にはその電波《でんぱ》を受信《じゅしん》するアンテナが付《つ》いているはずだ。それを破壊《はかい》して電波《でんぱ》を受信《じゅしん》できなくすれば、機関車《きかんしゃ》は異常事態《いじょうじたい》で暴走状態《ぼうそうじょうたい》になったと判断《はんだん》して、非常《ひじょう》ブレーキがかかるはずだ!」

ドローンは蒸気機関車《じょうききかんしゃ》の上《うえ》を飛《と》んだ。リモコンの画面《がめん》に、そのようすが映《うつ》し出《だ》される。

隼《はやぶさ》はその映像《えいぞう》をまじまじと見《み》つめた。

「あ、あれは!」

運転室《うんてんしつ》の上《うえ》の端《はし》に、1本《ぽん》のアンテナがのびていた。

「これだ!」

真実《しんじつ》は画面《がめん》を見《み》ながら、リモコンを操作《そうさ》する。

ドローンは少《すこ》しずつ、アンテナに近《ちか》づいていった。

だが次《つぎ》の瞬間《しゅんかん》、機関車《きかんしゃ》が激《はげ》しく揺《ゆ》れる。大《おお》きくカーブしたのだ。

前方《ぜんぽう》には、途切《とぎ》れたレールと、崖《がけ》が見《み》えている。

「真実《しんじつ》くん、このままじゃ落《お》ちちゃうよ！」

健太《けんた》たちは崖《がけ》を見《み》てパニックになるが、真実《しんじつ》は冷静《れいせい》にリモコンの画面《がめん》を見《み》つめていた。

「あの人《ひと》の思《おも》いどおりにはさせない。絶対《ぜったい》に停《と》めてみせる！」

真実《しんじつ》はリモコンの画面《がめん》をじっと見《み》つめながら、ドローンを操作《そうさ》した。

ドローンは、アンテナすれすれのところまで飛《と》んだ。

真実《しんじつ》はリモコンを慎重《しんちょう》に動《うご》かす。

ドローンのカメラが取《と》り付《つ》けられているアームが、アンテナの先《さき》に引《ひ》っかかった。

「今《いま》だ！」

真実《しんじつ》はドローンをそのまま大《おお》きく動《うご》かした。

ガチッ

衝撃《しょうげき》で、アンテナが機関車《きかんしゃ》から外《はず》れた。

プッシュ――

遠隔操作《えんかくそうさ》の電波《でんぱ》が遮断《しゃだん》され、非常《ひじょう》ブレーキがかかった。

「うわああ！」

健太《けんた》たちはその場《ば》に思《おも》わずしゃがみこんだ。

SL《エスエル》はブレーキ音《おん》を響《ひび》かせながらレールを進《すす》む。

そして、崖《がけ》の手前《てまえ》、ギリギリのところで停《と》まった。

「ぼくたち、今度《こんど》こそ助《たす》かったの……？」

「え、ええ、そうみたい」

健太《けんた》と美希《みき》は、戸惑《とまど》いながらも運転室《うんてんしつ》の扉《とびら》を開《あ》け、外《そと》に飛《と》び降《お》りた。

「うまくいったようだね」

真実《しんじつ》も外《そと》に出《で》てきて、健太《けんた》たちに笑《え》みを見《み》せる。


「よかった、真実《しんじつ》くん！」

「すごいわ、機関車《きかんしゃ》を本当《ほんとう》に停《と》めることができたのね！」


健太《けんた》と美希《みき》は自分《じぶん》たちが助《たす》かったことを確信《かくしん》し、大喜《おおよろこ》びした。

「鉄道《てつどう》を安全《あんぜん》に走《はし》らせたいという、隼《はやぶさ》くんの気持《きも》ちが本物《ほんもの》だったおかげだよ」

そう言《い》った真実《しんじつ》だが、ふと険《けわ》しい表情《ひょうじょう》になり、くちびるをかみしめた。

「飯島善《いいじまぜん》はもしかしたら本当《ほんとう》に崖《がけ》から落《お》とす気《き》はなかったのかもしれない。だけど、こんな人《ひと》をもてあそぶような行為《こうい》は絶対《ぜったい》に許《ゆる》せない」

そんななか、健太《けんた》は運転室《うんてんしつ》の室内《しつない》を見《み》て首《くび》をかしげた。

「あれ？　隼《はやぶさ》くんがいないよ!?」

真実《しんじつ》たちは、運転室《うんてんしつ》に戻《もど》った。

だが、隼《はやぶさ》の姿《すがた》はどこにもない。

座席《ざせき》の上《うえ》に、手紙《てがみ》が置《お》かれていた。

そこには、「**真実《しんじつ》くんへ　隼《はやぶさ》**」と書《か》かれていた。

4

SCIENCE TRICK DATA FILE

科学《かがく》トリック データファイル

鉄道《てつどう》の安全《あんぜん》を守《まも》るしくみ

鉄道《てつどう》は、乗客《じょうきゃく》の安全《あんぜん》を守《まも》るために様々《さまざま》なしくみを取《と》り入《い》れています。いくつかの例《れい》を見《み》てみましょう。

自動《じどう》で停止《ていし》するしくみがあるんだ

**列車《れっしゃ》の追突《ついとつ》を防《ふせ》ぐ
鉄道《てつどう》の信号《しんごう》のしくみ**

線路《せんろ》をいくつかの区間《くかん》に分《わ》け、その境目《さかいめ》に信号機《しんごうき》が立《た》っています。

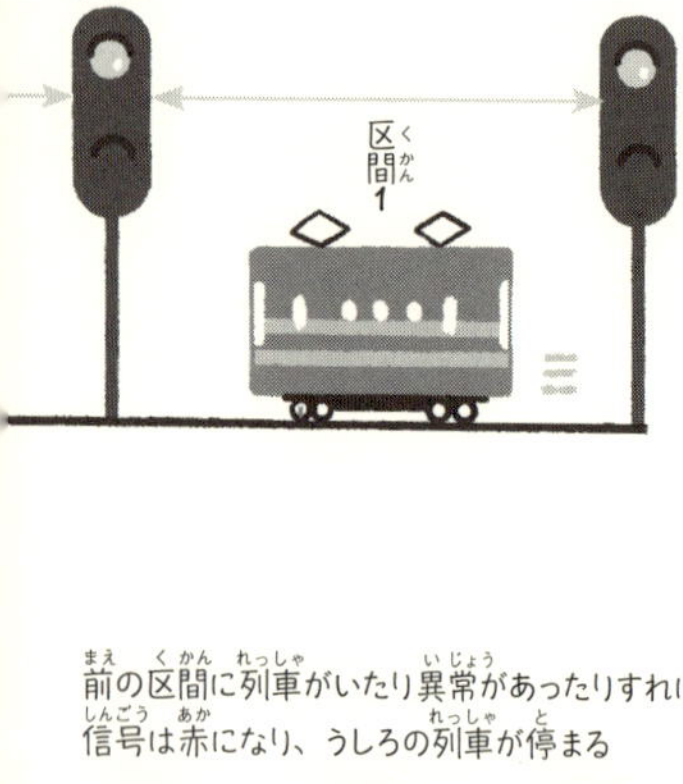
青信号《あおしんごう》
区間《くかん》1

前《まえ》の区間《くかん》に列車《れっしゃ》がいたり異常《いじょう》があったりすれば、信号《しんごう》は赤《あか》になり、うしろの列車《れっしゃ》が停《と》まる

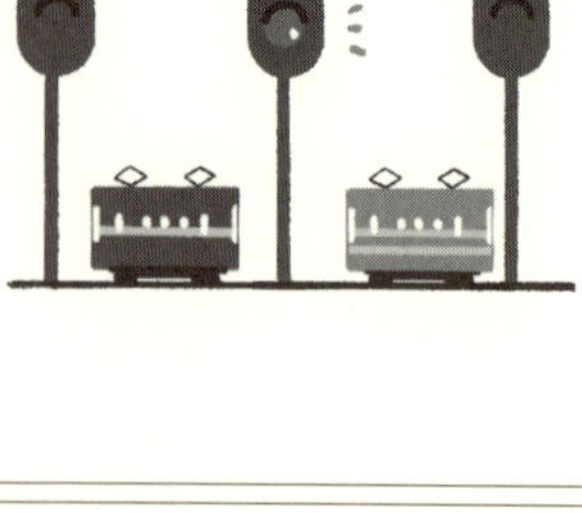
赤《あか》

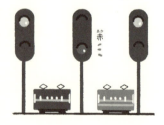

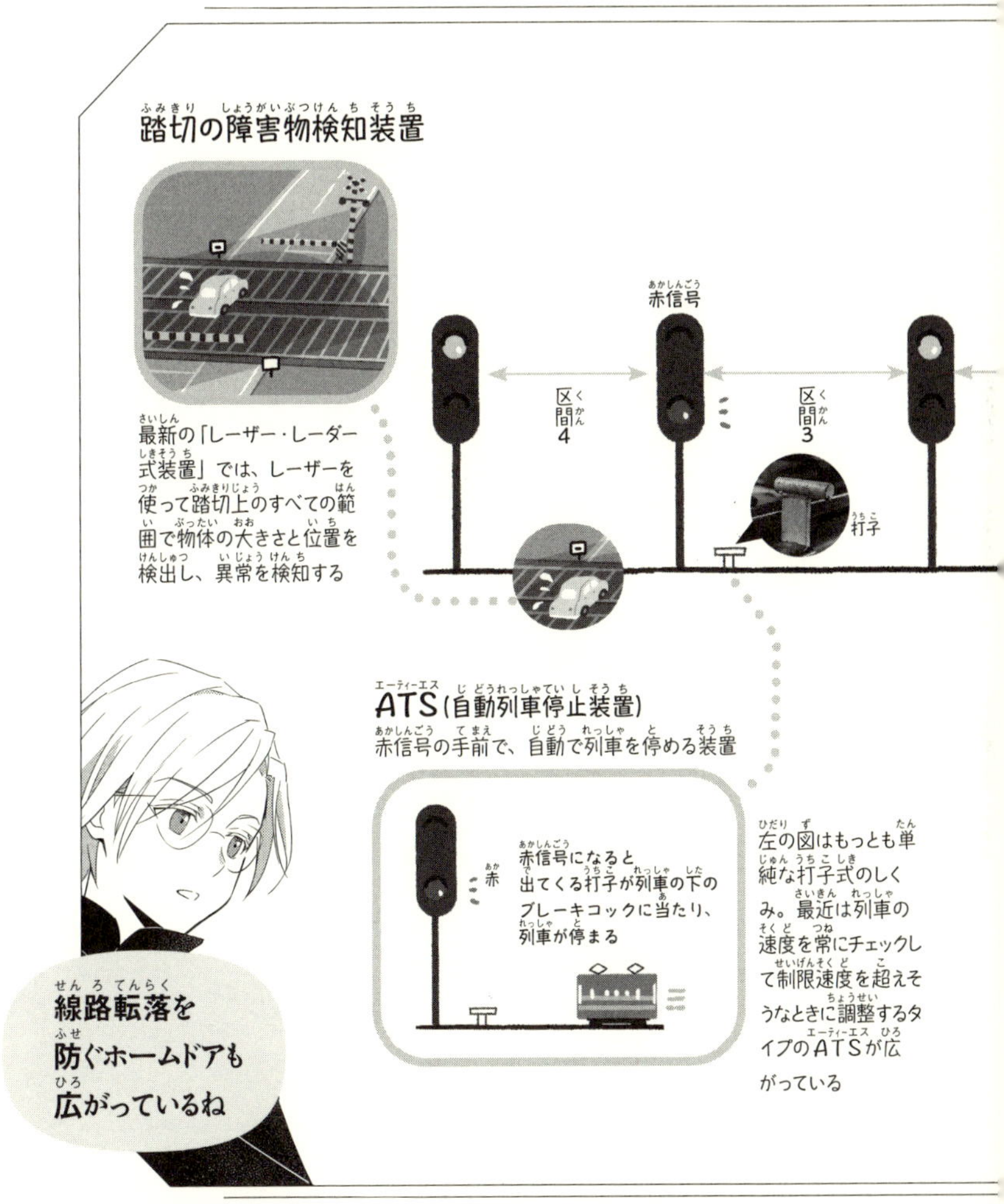
踏切《ふみきり》の障害物検知装置《しょうがいぶつけんちそうち》
最新《さいしん》の「レーザー・レーダー式装置《しきそうち》」では、レーザーを使《つか》って踏切上《ふみきりじょう》のすべての範《はん》囲《い》で物体《ぶったい》の大《おお》きさと位置《いち》を検出《けんしゅつ》し、異常《いじょう》を検知《けんち》する
赤信号《あかしんごう》
区《く》間《かん》4
区《く》間《かん》3
打子《うちこ》
ATS《エーティーエス》(自動列車停止装置《じどうれっしゃていしそうち》)
赤信号《あかしんごう》の手前《てまえ》で、自動《じどう》で列車《れっしゃ》を停《と》める装置《そうち》
赤《あか》
赤信号《あかしんごう》になると出《で》てくる打子《うちこ》が列車《れっしゃ》の下《した》のブレーキコックに当《あ》たり、列車《れっしゃ》が停《と》まる
左《ひだり》の図《ず》はもっとも単純《たんじゅん》な打子式《うちこしき》のしくみ。最近《さいきん》は列車《れっしゃ》の速度《そくど》を常《つね》にチェックして制限速度《せいげんそくど》を超《こ》えそうなときに調整《ちょうせい》するタイプのATS《エーティーエス》が広《ひろ》がっている
線路転落《せんろてんらく》を防《ふせ》ぐホームドアも広《ひろ》がっているね

「宮下《みやした》、青井《あおい》、謎野《なぞの》、オレはおまえたちのことが心配《しんぱい》だったんだぞ！」

真実《しんじつ》たちは、人質《ひとじち》になっていたハマセンたちと再会《さいかい》していた。

「まさか、崖《がけ》のむこうが最初《さいしょ》の駅《えき》のある場所《ばしょ》だったなんて」

蒸気機関車《じょうききかんしゃ》から降《お》りたあと、真実《しんじつ》たちは、崖《がけ》のむこうにつり橋《ばし》があることに気《き》づいた。

その橋《はし》を渡《わた》ると、少《すこ》し先《さき》に最初《さいしょ》にツアーに参加《さんか》するため、集合《しゅうごう》した駅《えき》が見《み》えた。３人《にん》は無《ぶ》事《じ》、もとの駅《えき》にたどり着《つ》くことができたのだ。

「隼《はやぶさ》くんのお父《とう》さんとお兄《にい》さんが、閉《と》じ込《こ》められていた部屋《へや》から出《だ》してくれたんだ」

ハマセンは真実《しんじつ》にそう説明《せつめい》をする。

「彼《かれ》らも無事《ぶじ》だったみたいね」

「ボクたちも無事《ぶじ》だったよ」

凛《りん》とアレクサンドルたちもそばにやってきた。

「よかった。けがもないみたいだね」

「うん。捕《つか》まったあとは丁重《ていちょう》に扱《あつか》われていたからね」

「そうなんだ」

「でも、あんな貴重《きちょう》な客車《きゃくしゃ》に火《ひ》をつけたミステリー男爵《だんしゃく》は許《ゆる》せんな。なんとかしてあの客車《きゃくしゃ》を修理《しゅうり》したい！」

アレクサンドルは、まだ怒《おこ》っている。健太《けんた》は喜《よろこ》びながらも、飯島善《いいじまぜん》のことを思《おも》い出《だ》し、息《むす》子《こ》である凛《りん》にそのことを伝《つた》えようとした。

だが、それに気《き》づいた真実《しんじつ》が、そっと健太《けんた》を制《せい》した。

「そのことは言《い》わないほうがいい」

「真実《しんじつ》くん……」

健太《けんた》は、小《ちい》さくうなずく。凛《りん》を心配《しんぱい》させるのはよくないと思《おも》ったのだ。

「ところで、助《たす》けてくれた隼《はやぶさ》くんの部下《ぶか》……、いや、お父《とう》さんたちはどこにいるの？」

美希《みき》がまわりを見《み》ながら言《い》った。

「あー、さっき隼《はやぶさ》くんと一緒《いっしょ》にどこかに行《い》ったよ」

ハマセンの話《はなし》を聞《き》き、真実《しんじつ》は隼《はやぶさ》の残《のこ》した手紙《てがみ》を見《み》た。

隼《はやぶさ》号《ごう》を置《お》いていくのは心苦《こころぐる》しいけど、今回《こんかい》は、ボクの負《ま》けを認《みと》めます。

約束《やくそく》どおり、参加者《さんかしゃ》のみなさんは安全《あんぜん》に解放《かいほう》します。

だけど、まだ始発駅《しはつえき》を出発《しゅっぱつ》しただけです。勝負《しょうぶ》は終点《しゅうてん》までわかりません。

次《つぎ》は勝《か》ってみせます。それまでしばしのお別《わか》れです!


「隼《はやぶさ》くんはこれからどうするのかしら?」

「さあ、わからない。だけど彼《かれ》の出《だ》したナゾはなかなか難《むずか》しかったよ」

真実《しんじつ》もその力《ちから》は認《みと》めていたのだ。

「お~、星《ほし》がきれいだな」

ハマセンが、空《そら》を見上《みあ》げながら声《こえ》をあげた。

真実《しんじつ》たちも、同《おな》じように空《そら》を見《み》る。

雪《ゆき》はすっかりやみ、夜空《よぞら》に数《かぞ》えきれないほどの星《ほし》が見《み》えていた。

「隼《はやぶさ》くんは、悪《わる》い人《ひと》じゃないと思《おも》うんだ」

ふと、健太《けんた》がそう言《い》った。

「なに言《い》ってるのよ。わたしたち、隼《はやぶさ》くんのせいでたいへんな目《め》にあったのよ」

「美希《みき》ちゃん、確《たし》かにそうだけど……。鉄道《てつどう》の話《はなし》をしているときの隼《はやぶさ》くんはホントに楽《たの》しそうだったもん。ぼく、いつかきっと、隼《はやぶさ》くんと友達《ともだち》になれると思《おも》うんだ」

「健太《けんた》くん……」

真実《しんじつ》はそれを聞《き》き、ほほえむ。

「そうだね。彼《かれ》とはいつか友達《ともだち》になれるかもしれないね」

その言葉《ことば》に、健太《けんた》だけでなく、美希《みき》も大《おお》きくうなずくのだった。

See you
in the next mystery!

その後《ご》の科学探偵《かがくたんてい》「賞金《しょうきん》の使《つか》い道《みち》」

そうだ、おまえら
賞金《しょうきん》の1億円《おくえん》は
どうするんだ？
アタシ、
新《あたら》しい服《ふく》がほしいわ
真実様《しんじつさま》〜
1億円《おくえん》！
わたしに寄付《きふ》すれば、
いいことが
ありますよ！
ドーン
真実《しんじつ》くん！
キミも鉄道《てつどう》が好《す》きに
なっただろう！
その1億円《おくえん》で、
燃《も》えた食堂車《しょくどうしゃ》を
直《なお》さないか？
権利《けんり》は
放棄《ほうき》したからね…
1億円《おくえん》は
もらわなかった
なんて言《い》えない…
わいの
わいの

著者紹介

佐東みどり

脚本家・作家。アニメ「サザエさん」「ハローキティとあそぼう！まなぼう！」などを担当。小説に「恐怖コレクター」シリーズ、「謎新聞ミライタイムズ」シリーズなどがある。

（執筆：プロローグ、４章、エピローグ）

石川北二

監督・脚本家。脚本家として、映画「かずら」（共同脚本）、映画「燐寸少女 マッチショウジョ」などを担当。監督としての代表作に、映画「ラブ★コン」などがある。

（執筆：３章）

木滝りま

脚本家・作家。脚本家として、ドラマ「念力家族」「ほんとにあった怖い話」、アニメ「スイートプリキュア♪」など。代表作に、『世にも奇妙な物語 ドラマノベライズ 恐怖のはじまり編』がある。

（執筆：１章）

田中智章

監督・脚本家。脚本家として、アニメ「ドラえもん」、映画「シャニダールの花」などを担当。監督としての代表作に、映画「放課後ノート」「花になる」などがある。

（執筆：２章）

挿画

k o t o n a

イラストレーター。児童書や書籍の挿絵のほか、キャラクターデザインなどで活躍中。
HP：marble-d.com
（マーブルデザインラボ）

ブックデザイン
アートディレクション

辻中浩一
＋
吉田帆波（ウフ）

科学探偵《かがくたんてい》
謎野真実《なぞのしんじつ》シリーズ

科学探偵《かがくたんてい》VS.《ブイエス》
超自然現象《ちょうしぜんげんしょう》（仮《かり》）

日本《にほん》の各地《かくち》で起《お》こる、
不思議《ふしぎ》で奇妙《きみょう》な現象《げんしょう》の数々《かずかず》。
花森町《はなもりちょう》を飛《と》び出《だ》し、謎解《なぞと》きの旅《たび》に出《で》る真実《しんじつ》たち。
バラバラに見《み》えた超自然現象《ちょうしぜんげんしょう》が、やがて
１本《ぽん》の線《せん》でつながり、
大《おお》きなたくらみが
見《み》えてくる——。

2022年《ねん》
秋《あき》
発売予定《はつばいよてい》！

おたより、
イラスト、
大募集中《だいぼしゅうちゅう》！

公式《こうしき》サイトも見《み》てね！

朝日新聞出版 検索

監修　　　　　金子丈夫（筑波大学附属中学校元副校長）、鳥飼宏之（２章、弘前大学教授）
鉄道設定監修　大日方樹（岩倉高校教諭）、濱崎勝明（オフィスハマサキ）
編集デスク　　福井洋平
校閲　　　　　朝日新聞総合サービス（宅美公美子、野口高峰）

本文図版　　　渡辺みやこ
コラム図版　　佐藤まなか
ホームズ学園校章デザイン　改森功啓
本文写真　　　iStock、朝日新聞社、地下鉄博物館
キャラクター原案　木々
ブックデザイン / アートディレクション　辻中浩一 + 吉田帆波（ウフ）

おもな参考文献
『鉄道車両の科学』（ソフトバンククリエイティブ）／『鉄道技術 140 年のあゆみ』（コロナ社）／『トコトンやさしい燃焼学の本』（日刊工業新聞社）／『自分で探せる美しい石　図鑑＆採集ガイド』（実業之日本社）

科《か》学《がく》探《たん》偵《てい》 謎《なぞ》野《の》真《しん》実《じつ》シリーズ

科《か》学《がく》探《たん》偵《てい》 vs.《ブイエス》 ミステリートレイン

2022 年 2 月 28 日　第 1 刷発行

著　者　　作：佐東みどり　石川北二　木滝りま　田中智章　　絵：kotona
発行者　　橋田真琴
発行所　　朝日新聞出版
　　　　　〒 104-8011
　　　　　東京都中央区築地 5-3-2
　　　　　編集　生活・文化編集部
　　　　　電話　03-5541-8833（編集）
　　　　　　　　03-5540-7793（販売）

印刷所・製本所　大日本印刷株式会社
ISBN978-4-02-331998-1
定価はカバーに表示してあります